아비투어

철학 논술

자기주도학습

아비투어
철학 논술 자기주도학습 7

2판 2쇄 발행일 | 2020년 6월 22일

지은이 | 정명환, 박민수, 박현정
펴낸이 | 정은영
펴낸곳 | (주)자음과모음

출판등록 | 2001년 11월 28일 제2001-000259호
주　　소 | 04047 서울시 마포구 양화로6길 49
전　　화 | 편집부 (02)324-2347, 경영지원부 (02)325-6047
팩　　스 | 편집부 (02)324-2348, 경영지원부 (02)2648-1311
e-mail | jamoteen@jamobook.com

ISBN | 978-89-544-3769-1 (03100)

• 잘못된 책은 교환해 드립니다.

아비투어

철학 논술 자기주도학습

철학자가 들려주는 철학이야기 061~070

7

(주)자음과모음

차례

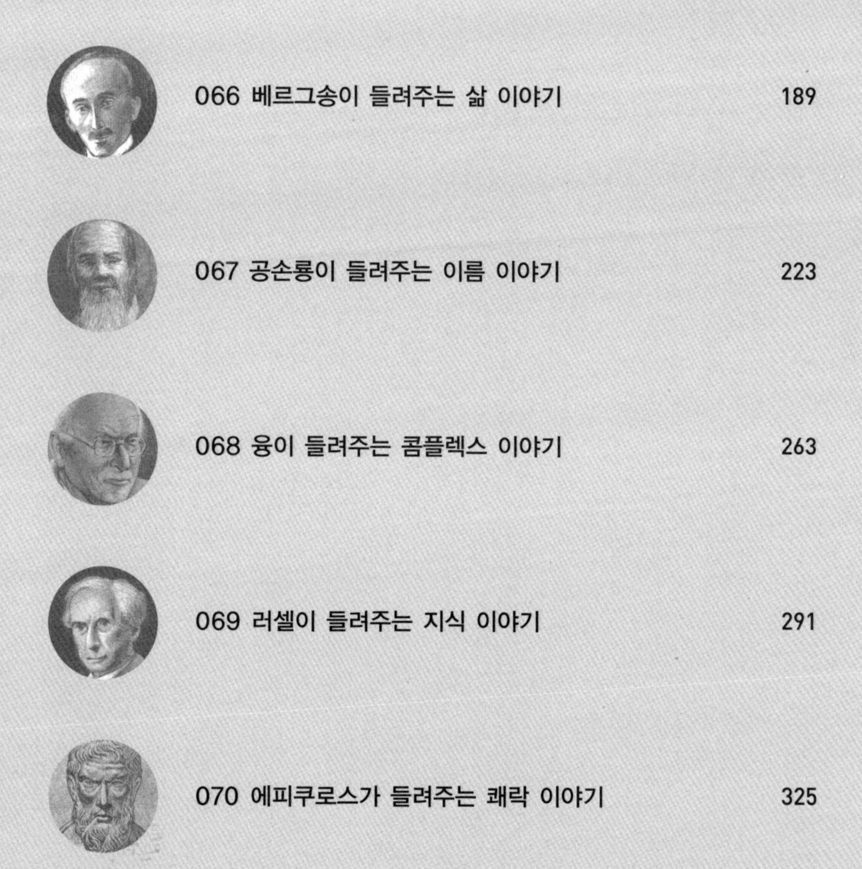

철학자가 들려주는 철학이야기 061

스피노자가 들려주는 윤리 이야기

저자_**정명환**

연세대학교 경제학과를 졸업하고 종로학원 강사로 활동하고 있다.
저서로는 《새로운 언어 시작하기》, 《언어와 논술의 만남》, 《뻔뻔통합수리논술》(감수) 등이 있다.

배경 지식 넓히기

Baruch de Spinoza

스피노자와 '윤리'

스피노자 주요 개념

1. 스피노자는 어떤 시대를 살았을까?

스피노자는 1632년 11월 24일 네덜란드의 암스테르담 유대 공동체에서 태어났다. 스피노자의 집안은 스페인과 포르투갈에서 박해를 피해 네덜란드로 이민 온 유대인이다. 박해를 피해 이민 온 집안이긴 하지만 그의 아버지는 부유한 상인이었다. 그래서 스피노자는 대부분 유명 인사들과 달리 비교적 풍족한 어린 시절을 보냈다. 그리고 유달리 총명해서 유대 공동체를 이끌어 갈 인재로 일찍이 사람들의 주목을 받았다.

하지만 스피노자는 그 당시 새롭게 떠오르던 과학과 철학의 영향을 받았다. 그래서 유대 공동체의 바람과는 달리 점차 유대교에서 뜻하는 바를 거스르는 주장을 하였다. 유대 공동체는 스피노자를 어떻게든 설득하고 협박하여 그의 마음을 바꾸려 했다. 그러나 스피노자는 자신의 신념과 태도를 바꾸지 않았다.

결국 유대 공동체는 스피노자를 파문시키기로 결정하였다. 파문을 당하면 공동체로부터 쫓겨남을 의미한다. 그리고 종교적 박해를 피해 정해진

곳 없이 여기저기를 쫓겨 떠돌아 다녀야 했다. 그래서 유대인들에게 파문은 일종의 사형선고와도 같았다. 파문당한 스피노자는 자신의 모든 경력은 인정되지 않았다. 심지어 가족까지도 그를 받아주지 않았다. 게다가 유대교의 광적인 신도들로부터 목숨의 위협을 받기도 했다. 이런 과정을 보았을 때 당시 스피노자는 경제적 · 정신적으로도 많이 힘들었을 것을 알 수 있다.

하지만 파문 소식을 들은 스피노자는 두려워하지 않았다. 전해지는 말로 "모두 잘 됐다. 그들이 이제 나를 어쩌지는 못 한다"라고 하며 속 시원해 했다고 한다. 오히려 스피노자는 그동안 유대 공동체의 구성원으로서 공동체의 공식 입장과 다른 자신의 생각을 자유롭게 표현하지 못하는 고통에서 벗어났다는 사실을 홀가분하게 여겼다.

스피노자에게 파문은 일반적인 유대 교회의 파문이 가진 의미를 넘어선다. 위에서 언급했듯이 유대 공동체의 신념과 다른 신념과 진리 때문에 파문을 당했지만, 오히려 그 파문 덕분에 스피노자는 자유롭게 자신의 신념과 철학을 세울 수 있었다. 그 결과 스피노자는 철학사의 큰 획을 긋고《에티카》라는 고전을 남기면서 자신의 철학을 체계화하는 데 노력을 기울일 수 있었다. 스피노자는 진리와 자신의 올바른 신념을 위해서라면 두려움 없는 대담한 성격의 소유자였다.

스피노자는 유대 교회로부터 파문을 당하여 유대 공동체로부터 추방된

후 안경 렌즈를 갈면서 그 수입으로 생계를 유지했다고 전해진다. 그리고 1677년 폐결핵으로 세상을 떠났다.

그들은 왜 네덜란드로 갔나?
유대인인 스피노자의 집안은 스페인과 포르투갈의 박해를 피해 네덜란드로 이민을 갔다. 그런데 왜 그들은 네덜란드로 갔을까? 그 당시 유대인들이 네덜란드에 정착했던 것은 네덜란드와 유대인들의 이해관계가 잘 맞아 떨어졌기 때문이다. 유대인들은 종교적인 이유로 박해를 받아 왔는데 네덜란드는 종교적으로 관대했던 나라였다. 그래서 유대인들에게 네덜란드는 정착지로 매력적이었다. 게다가 당시 네덜란드는 스페인으로부터 독립한 신생 독립국으로 경제성장을 위해 탁월한 상업적 능력을 가진 유대인들을 필요로 했던 것이다.

데카르트 VS 스피노자
스피노자는 유대 공동체에 있었지만 유대 교회에 어긋나는 신념과 진리를 펼쳐 파문당했다. 그러나 덕분에 우리는 종교에 오염되지 않은 스피노자의 철학을 배울 수 있었다. 이는 데카르트와 비교되는 부분이다. 데카르트는 기질적으로 성격이 조심스럽고 신중하였다. 그래서 종교의 눈치를 보면서 철학을 했다. 따라서 데카르트의 철학은 종교와의 타협과 절충의 산물이라고 할 수 있다.

2. 노예도, 자유인도 자기 보존을 위해 노력한다고?

자신의 존재를 유지하기 위해 노력하고 자신의 존재 역량을 증대시키기 위해 노력한다는 점에서는 누구도 다르지 않다. 사실상 그러한 노력, 즉 코나투스에 있어서는 현명한 사람과 어리석은 사람, 자유인과 노예, 강자와 약자가 구분되지 않는다. 자유인이나 이성적 인간 못지않게 노예이거나 바보라고 할지라도 자기 존재를 지속시키고 자신의 존재 역량을 높이기 위해 최선을 다한다고 할 수 있다.

자유인이나 이성적 인간, 그리고 노예나 바보의 차이는 무엇일까? 그건 자유인이 이성의 안내를 받아 자신이 중요하다고 생각한 것, 자신의 존재 역량을 증대시키는데 진정으로 필요한 것을 행하는 반면, 노예는 감정에 따라 자신이 알지도 못하고 자신이 진정으로 원하지도 않는 것을 행한다는 데 있다.

"우리는 매우 쉽게 감정 혹은 군중심리에 의해서 이끌리는 사람과 이성에 의해서 인도되는 사람 사이에 어떤 차이가 있는지를 알 수 있을 것이다. 왜냐하면 전자는 자신이 원하든 그렇지 않든 자신이 전혀 모르는 것을 행하는 반면에 후자는 자신 이외의 다른 어떤 사람에게도 따르지 않고 오직 자신만을 따르며 자신의 삶에 있어 가장 중요하다고 인식한 것만을 따라서 자신이 가장 강하게 욕구하는 것만을 행한다. 나는 전자를 노예라 부르고 후자를 자유인이라고 부른다."

즉, 자유인이란 외부 사물이나 다른 사람들의 영향을 받는 수동적인 감정의 노예가 아니다. 자유인은 무엇이 진정으로 자신의 존재 역량을 증대시키는데 필요한 것인지 아는 상태에서, 이성적으로 자신의 존재 역량에 진정으로 필요한 것이 무엇인지를 판단하면서 주체로서 능동적으로 살아가는 인간이라고 할 수 있다.

노예는 주인의 명령대로 주인이 시키는 것을 하면서 살아가는 사람이다. 자기가 일을 하면서도 왜 그 일을 해야 하는지 모른다. 노예에게 왜 그 일을 하냐고 묻는다면 노예는 주인이 시켜서라고 답할 것이다. 노예가 하는 일은 결국 자신에게 이익이 되는 것이 아니라 주인에게 이익이 되는 일이다. 노예는 자신에게 이익이 되는지 그렇지 않은지도 모르는 채, 그저 시키는 일을 할 뿐이다. 그렇게 때문에 노예에게 일은 즐거움을 주기보다는 고통과 슬픔을 줄 수밖에 없고, 결국 일을 거듭할수록 노예의 존재 역량은 약화될 수밖에 없다.

만약 우리도 감정에 사로잡혀 감정에 따라 행동한다면 어떨까?

감정이 시키는 대로 이유도 모르는 채 이리저리 휘둘리면서 살아가고 있는 우리의 모습은 노예의 모습과 다르지 않다. 그럴 때 우리는 감정의 노예가 된다. 감정의 노예로 살아갈 경우 우리는 과도한 감정의 늪에서 빠져나올 수 없고 결국에는 존재 역량의 감소를 경험할 수밖에 없다.

스피노자가 노예와 대비시키고 있는 자유인은 자신의 이성을 기초로 삼고 이성의 인도에 따라 살아가는 사람이다. 그는 감정에 이리저리 휘둘리면서 결국에는 자신도 모르게 존재 역량의 감소를 초래하는 사람과는 달리

스스로가 자신의 존재 역량을 지속적으로 증대시키는데 도움이 된다고 생각하는 것만을 행하는 사람이다. 물론 이렇게 살기란 말처럼 쉬운 일이 아니다. 스피노자도 자신의 책《에티카》의 맨 마지막에서 모든 고귀한 것은 힘들 뿐만 아니라 드물다고 말하고 있다.

"자유인은 어느 누구도 증오하지 않으며, 어느 누구에게도 화를 내지 않고 어느 누구도 질투하지 않으며 어느 누구에게도 격분하지 않고 어느 누구도 경멸하지 않고 결코 교만하지 않다."

모든 것은 인과관계의 필연적 네트워크 속에서 필연적으로 생겨난다는 사실을 이해함으로써 우리는 다른 사람의 행동들이 그들의 자유의지에 따라 스스로 행하는 게 아니라는 것을 알게 된다. 이것을 깨닫기만 하면 다른 사람들에 대한 경멸, 비난, 증오와 같은 슬픔의 감정은 누그러들 수 있다. 그리고 가능한 자신에 대한 타인의 미움, 분노, 경멸 등을 반대로 사랑이나 관용으로 보상하고자 노력할 수 있을 것이다.

코나투스(conatus)에 관한 말말말

코나투스는 무엇보다도 존재로 이행하려는 경향으로 이해되어서는 안 된다. 양태의 본질은 가능태가 아니라, 어느 것도 결핍되어 있지 않은 물리적 실체이기 때문에, 그것은 존재로 이행하려는 경향을 갖지 않는다. 그러나 일단 양태가 존재하도록 결정되면, 즉 자신의 관계 아래 무한히 많은 외연적 부분들을 포괄하도록 결정되면, 그것은 존재 속에 계속해서 머무르려는 경향을 갖는다. 계속해서 머무르는 것, 그것은 지속하는 것이다. 따라서 코나투스는 무한정한 지속을 포함한다.

변용 능력(potestas)이 능력(potentia)으로서의 신의 본질에 상응하는 것과 마찬가지로, 변용될 수 있는 소질(aptus)은 능력의 정도(conatus:코나투스)로서의 존재 양태의 본질에 상응한다. 코나투스가 그 두 번째 결정 속에서, 변용될 수 있는 소질을 유지하고 그것을 최대한으로 펼치려는 경향인 것은 이러한 이유 때문이다. (……)

정확히 말해 감정들은, 코나투스가 자신에게 일어나는 변용에 의해 이것 혹은 저것을 하도록 결정될 때, 그 코나투스가 취하는 모습들이다. 코나투스를 결정하는 이 변용들은 의식의 원인이다. 이러저러한 감정 아래서 자기 자신을 의식하는 코나투스는 욕망이라 불린다. 왜냐하면 욕망은 언제나 어떤 것에 대한 욕망이기 때문이다. (……)

기쁨은 우리의 행위 능력을 증가시키고 슬픔은 우리의 행위 능력을 감소시킨다고 말할 수 있다. 그리고 코나투스는 기쁨을 체험하고, 행위 능력을 증가시키고, 기쁨의 원인이 되는 것을 상상하고 발견하려는 노력이다. 이 노력은 기쁨의 원인을 유지하고 그것을 장려한다. 코나투스는 또한 슬픔을 멀리하고, 슬픔의 원인을 파괴하는 어떤 것을 상상하고 발견하려는 노력이기도 하다.

실제로 감성, 그것은 코나투스가 주어진 변용에 대한 관념에 의해 이것 혹은 저것을 하도록 결정되는 한에서 코나투스 그 자체이다. (……) 그것은 기쁨과 이 기쁨으로부터 나오는 것이 변용될 수 있는 소질을 행위 능력 혹은, 존재의 힘이 상대적으로 증가되는 방식으로 실현시키기 때문이고, 슬픔은 그 반대이기 때문이다. 따라서 코나투스는 행위 능력을 증가시키고 기쁜 감정들을 체험하려는 노력이다.

성공한 노력으로서의 코나투스, 혹은 소유한 능력으로서의 행위 능력(비록 죽음이 이것을 가로막게 될지라도)은 덕(Vertu)으로 불린다. 덕은 코나투스 이외의 다른 어떤 것이 아니며 그것은 또한, 능력을 행사한 양태가 그 능력을 소유하도록 만드는 실행의 조건들 속에서는, 작용인으로서의 능력 이외의 다른 어떤 것이 아니다.

그리고 코나투스의 적합한 표현은 존재 속에 계속 머무르고 이성의 인도 아래 행위를 하려는 (4부, 명제 24), 즉 인식으로 적합한 관념들로 그리고 능동적 감정들로 이끄는 것을 획득하려는 노력이다.

— 들뢰즈, 《스피노자의 철학》 중에서

3. 교과서에서 만난 스피노자

노벨문학상을 받은 철학자 러셀은 그의 저서 《서양철학사》에서 스피노자를 '가장 고귀하고 또 존경할 만한 대철학자 중의 한 사람'으로 손꼽으며 "지적인 면에서 그보다 탁월한 철학자가 몇몇 있기는 했지만, 윤리적인 면에서는 그를 따를 수 없었다"고 평가했다. 스피노자는 특히 "내일 지구의 종말이 온다 할지라도 나는 한 그루의 사과나무를 심겠다"는 명언으로 친숙한 철학자이기도 하다.

고등학교 교과서 《윤리와 사상》은 스피노자를 철저히 이성적인 삶을 지향한 철학자로 설명하고 있다. 스피노자는 "우주를 필연적인 질서에 따라 움직이는 하나의 거대한 기계로 생각하였고, 이 세상에서 일어나는 모든 일은 원인과 결과로 (……) 서로 맺어져 있다고 생각하였다. 그런데 인간은 유한한 존재로서 불충분한 지식밖에 갖고 있지 못하기 때문에 늘 불안하다. 그러나 누군가가 진정으로 이성적이 되어 모든 사물의 궁극적인 원인과 질서를 인식할 수 있다면, 그는 마음의 안정과 평화를 얻어 이웃을 사랑하고 우주와 참된 조화를 이룰 수 있을 것이다. 스피노자는 이렇게 모든 것을 이성적으로 관조하는 데서 오는 평온한 행복이야말로 인간에게 가능한 유일한 최고의 선이라고 보았다."

근대의 경험론과 합리론
근대 자연과학에서 사용된 방법론은 크게 두 가지로 구분된다. 그 하나는 사유와 지식의 근원을 경험으로 보고, 경험적 관찰과 실험을 통해 여러 가지 사례들의 공통점을 추출함으로써 어떤 일반적인 원리를 발견하는 귀납적 방법이다. 다른 하나는 사유와 지식의 근원을 이성으로 보고, 이미 확인된 어떤 자명한 원리로부터 개개 사물의 이치를 논리적 추론을 통해 알아내는 연역적 방법이다. 이것들에 기초한 사상들이 바로 근대 철학의 두 줄기인 경험론과 합리론이다.

인간의 사유 능력 즉, 이성에 대한 신뢰가 밑바탕에 깔려 있는 이러한 철학 방향은 합리론으로 불리며 "나는 생각한다. 그러므로 나는 존재한다"라는 명언을 남긴 프랑스의 철학자 데카르트로부터 유래한다.

4. 기출 문제에서 만난 스피노자

스피노자는 흔히 범신론자라고 불린다. 스피노자는 신과 자연을 구별하지 않았고, 자연 만물 속에 깃든 신성을 관조했으며 세속적인 삶을 초월하여 자신만의 세계를 구축했다.

2008학년도 한양대학교의 수시2학기 인문계 논술고사에서는 아인슈타인의 발언을 제시하고, 이 발언을 바탕으로 그가 신에 대해 어떤 입장을 가지고 있는지를 규정하고 이유를 설명하라는 문제가 출제되었다. 제시된 글에서 아인슈타인은 "우리가 경험할 수 있는 것의 배후에는 우리가 그것의 아름다움과 숭고함을 일순간에 파악할 수는 없지만, 성찰을 통해 간접적이고 희미하게 인식하는 어떤 것이 있다. 그것은 종교적인 것이다. 이런 의미에서 나는 종교적이다. (……) 내가 자연에서 보는 것은 우리가 매우 불완전하게만 이해할 수 있는 장엄한 구조이다. 이 구조는 그것에 대해 생각하는 인간을 겸손한 느낌으로 충만하게 한다. 그 느낌은 신비주의와 아무런 관련이 없지만 진정으로 종교적인 것이다"라고 말한다.

제시된 또 다른 글에서 범신론자에 대한 설명은 다름과 같다. "초자연적이거나 초월적인 존재 자체를 아예 믿지 않는다. 다만 범신론은 우주의 움직임이 질서 정연한 법칙에 따른다는 사실을 강조하며, 우리 인간이 자신의 제한된 지적 능력을 통해 이 법칙에 조금이나마 다가갈 수 있다는 점을 경이롭게 여긴다. 범신론자도 종종 신이라는 단어를 사용하지만 이는 자연 현상이 법칙에 지배된다는 사실을 비유적이거나 시적으로 표현한 것에 불과하다. 이런 맥락에서 신이라는 단어는 '세계의 근본원리' 나 '삼라만상을 관통하는 본질' 등으로 바꾸어도 뜻에 큰 차이가 없다."

유신론자가 신이 초자연적이며 초월적 존재로 인간사와 긴밀한 관계를 맺고 중요한 영향을 미친다고 생각하는데 반해, 이신론자는 신을 초자연적 존재라고 믿지만 인간의 삶에 개입하지 않는다고 본다. 이들과는 다르게 범신론자는 초자연적이거나 초월적인 존재 자체를 믿지 않으며 질서 정연한 법칙에 따라 우주가 움직인다고 생각한다.

이렇게 본다면, 아인슈타인은 스피노자와 마찬가지로 범신론자에 가까운 입장을 취하고 있음을 알 수 있다.

실전 논술

논술 문제

case 1 제시문 〈가〉에서 경환이와 내가 가지고 있는 집착이 나의 존재 역량을 어떻게 만드는지 제시문 〈나〉를 읽은 후 적어보고, 스피노자가 제시문 〈다〉의 강 씨에게 어떤 조언을 했을지 말해보시오.

가 "우리 아빠는 가시고기가 아니잖아? 차라리 우리 아빠가 가시고기였으면 좋겠어."

"가시고기만큼이나 너희 아버지도 너를 사랑하실 거야. 그러니까……."

"됐어. 돌고래 쇼나 보러 가자."

나는 태어나서 처음으로 돌고래 쇼를 보았습니다. 텔레비전에서 돌고래 쇼나 물개 쇼를 본 적이 있었지만 직접 앞에서 보는 것은 처음이었습니다. 그러나 오늘은 돌고래의 묘기가 눈에 들어오지 않았습니다. 나는 즐거워하는 사람들을 따라 건성으로 박수를 쳤을 뿐 하나도 재밌지가 않았습니다.

내가 할머니의 죽음을 슬퍼하면서 안마기에 집착하고 있다면 경환이는 어머니의 죽음을 슬퍼하면서 동물원에 집착하고 있는 것 같았습니다. 내가 구멍가게 할머니의 다리를 주물러 드리면서 우리 할머니를 떠올리는 것처럼 경환이는 동물들을 구경하면서 어머니를 떠올리고 있었습니다.

우리는 누군가를 사랑하고 그리워하고 집착하고 있었습니다. 그런 점에서 우리는 꼭 닮은 친구였습니다.

—《스피노자가 들려주는 윤리 이야기》 중에서

나 스피노자에 따르면 인간은 본질적으로 감정의 동물이고, 감정은 존재 역량의 증대에 중요한 역할을 한답니다. 그렇다고 우리가 감정에만 의존해서 존재 역량의 증대를 꾀할 경우, 우리는 수많은 시행착오를 겪을 수밖에 없어요. 왜냐하면 감정은 그것이 기쁨이든 슬픔이든지 간에 그 위력이 대단해서 우리가 그것으로부터 빠져나오기가 매우 힘들기 때문이지요.

이를테면 존재 역량의 증가는 기쁨으로 나타나는데, 그 기쁨을 맛 본 사람은 기쁨을 주는 대상에 대해 사랑(외부 원인에 대한 관념에 의해 수반되는 기쁨)이라는 감정을 갖게 되고, 그것과 계속 접하려고 하겠죠.

이러한 사랑의 힘은 매우 커서 우리는 종종 기쁨을 주는 대상에게 집착하기도 해요. 그러한 맹목적 사랑과 집착은 우리의 존재 역량을 증대시켜 주기보다는 오히려 존재 역량을 감소시키는 경우가 더 많아요.

기쁨을 추구하는 우리의 욕망이 존재 역량의 감소로 이어지지 않고 슬픔으로 인한 존재 역량의 감소가 더욱더 심화되지 않기 위해서는 우리는 이성의 안내를 받아야 합니다.

— 《스피노자가 들려주는 윤리 이야기》 중에서

다 경남 지방의 한 경찰서는 헤어진 애인이 더 이상 만나주지 않는다며 전 애인 C씨의 집에 몰래 침입하여 흉기로 위협하는 등 폭력을 행사한 강모씨(34)를 주거 침입 및 집단 흉기 등 상해 혐의로 구속영장을 신청했다.

강씨는 지난 5일 오후 9시께 경남 마산 ㅎ동네에서 열쇠 수리공을 불러 자신의 집인 것처럼 속인 후 C씨 집에 몰래 들어가 다음날 오후까지 안방의 옷장 속에 숨어 있었던 혐의다. 또한 23일 오후 7시께 강씨는 흉기와 22센티미터 길이의 청테이프를 자신의 안주머니에 소지한 채 C씨에게 "계속 사귀자"고 요구하였다. 이에 집 밖으로 빠져나가려 하는 C씨를 밀치는 등 폭행을 저질렀다.

한편 경찰은 강씨가 2년 정도 사귀었던 여자 친구를 계속해서 잊지 못하고 헤어진 애인에 대한 지나친 집착으로 인해 이러한 행동을 한 것으로 파악했으며, 30일 검찰에 송치될 예정이다.

— ㅇㅇ일보, 2008년 5월 28일자 기사

생각 쓰기

생각 쓰기

case 2 제시문 〈가〉와 〈나〉에서 생각하는 신 개념의 요점을 말해보고 〈다〉의 안○○ 장로가 둘 중 어디에 해당하는지 설명하시오.

가 스피노자가 생각하는 신은 이 세계를 창조하고 이 세계를 초월하여 존재하는 신이 아니에요. 바로 이 세계에 내재하는 신 즉, 이 세계에 깃들어 있는 신이죠. 유대-기독교의 신은 이 세계 없이도 존재할 수 있지만, 스피노자의 신은 이 세계와 운명을 같이 하는 신이에요. 그래서 스피노자는 '신과 세계는 구분해 볼 수는 있지만, 결코 분리될 수 없는 하나' 라고 생각했어요. 스피노자는 이러한 생각을 "신은 곧 자연" 이라는 말로 표현하고 있어요.

물론 그렇다고 자연에 존재하는 사물 하나하나가 바로 신 그 자체라고는 할 수 없답니다. 스피노자식으로 정확히 말하면, '개별 사물들은 신이 표현된 것' 이라고 할 수 있어요. (……)

하지만 스피노자의 신은 믿음의 대상이 아니라 이해의 대상이랍니다. 스피노자의 신은 제아무리 간절히 기도해도 응답하지 않습니다. 스피노자에게 있어서 이 세계는 신의 표현물이랍니다. 그리고 이 세계를 지배하는 것은 인과적 법칙에 따른 냉혹한 필연성뿐입니다. 따라서 우리가 해야 할 일은 믿음과 기도가 아니라 필연적인 인과의 법칙을 이해하는 것이에요.

—《스피노자가 들려주는 윤리 이야기》 중에서

나 유대-기독교에서 말하는 신은 인간의 믿음과 기도에 응답하는 사람 같은 존재에요. 신은 전능한 존재로서 때로 기적을 만들기도 하지만 스피노자의 신은 필연적인 인과 법칙에 따라 스스로를 표현할 뿐, 그 이상도 그 이하도 아니랍니다. 이렇게 볼 때 유대-기독교의 신은 믿음의 대상이라고 할 수 있어요. 간절히 믿고 기도하면 유대-기독교의 신은 그에 대한 응답으로 은총을 베풀고 기적을 만들어요.

—《스피노자가 들려주는 윤리 이야기》 중에서

다 "모든 게 감사할 뿐입니다. 생과 사를 오가면서 참된 감사가 무엇인지 깨달았어요. 하나님이 나와 함께 하시고, 나를 위해 기도해 주시는 분들이 있다는 사실부터 지금 내가 살아 숨 쉬는 것 자체가 감사한 일이지요."

안ㅇㅇ(70세, ㅇㅇ교회) 장로는 7일 인터뷰를 하면서 육체적으로 힘든 표정이 역력했다. 팔꿈치를 테이블에 올리는 일조차 쉽지 않아 보였다. 병색이 완연했다. 그러나 그의 얼굴에는 미소가, 입에서는 '감사'라는 단어가 떠나지 않았다. (……)

지난해 7월 초 그는 대대적인 환영을 받으며 귀국했지만, 2주 뒤에 들려온 소식은 청천벽력이었다. 배가 아파 병원에 들렀다가 암 선고를 받은 것. 암세포가 이미 대장과 직장, 전립선, 간으로까지 퍼진 상황이었다.

"그렇게 놀랄 만한 일은 아니었습니다. 돌이켜 보면 저는 하나님의 은혜가 아니고서는 죽은 사람이나 마찬가지였거든요. 지금까지 제 인생을 인도해 주신 것만으로도 너무나 감사했습니다."

— ㅇㅇ일보, 2008년 8월 7일자 기사

생각 쓰기

생각 쓰기

case 3 다음의 제시문들을 읽고, 스피노자가 생각하는 이상적인 윤리의 모습이 무엇인지를 설명하시오.

(가) 스피노자 윤리학의 목표는 감정이 억압하는 상태에서 벗어나 자유인으로서 살아가는 것이라고 할 수 있어요. 스피노자가 감정의 억압으로부터 벗어나는 유일한 통로로 참된 인식을 제시하고 있답니다.

참된 인식은 원인에 대한 인식이라고 할 수 있어요. 다시 말해서 감정의 속박으로부터 벗어난다는 것과 감정의 원인을 이해한다는 것은 같습니다. 왜냐하면 감정을 일으킨 상황의 원인을 알게 되면 우리는 더 이상 감정에 휘말리지 않기 때문이죠. 예를 들어볼게요. 차를 타고가다 보면 외국인 노동자들이 거리에서 시위를 해서 길이 막히는 경우가 있죠. 그럴 때 우리는 짜증을 내고 화를 내면서 씩씩거리게 됩니다.

하지만 외국인 노동자들이 이 땅에서 얼마나 비인간적인 대우를 받고 있는가를 알게 되고, 시위가 그들의 비인간적인 환경을 사람들에게 알릴 수 있는 유일한 수단이라는 것을 알게 되면 짜증과 화는 점차 사라지게 될 겁니다. 아니 더 나아가서 그런 상황을 이해하는 순간 우리는 오히려 그들이 인간답게 살아갈 수 있도록 도움을 주었다는 기쁜 마음을 가질 수 있답니다. 요약하면 잘 몰라서 갖게 되었던 수동적인 감정이 이해를 통해 기쁨이라는 능동적인 감정으로 바뀌는 거라고 할 수 있어요.

우리는 원인을 모르면 외부 상황에 따른 감정에 얽매여서 살아갈 수밖에 없어요. 하지만 우리가 이성을 통해 원인을 알게 되면 감정의 속박으로부터 벗어나 기쁨으로 충만한 삶을 살 수 있어요.

더 나아가서 모든 것은 신으로부터 생겨난 것으로서 신의 변화된 모습이며 표현이라는 것을 알았다고 생각해요. 우리에게 영향을 미치는 다른 사람들의 행위가 그들의 의지에 따라 자유롭게 선택된 것이 아니라 법칙에 따라 필연적으로 생겨난다는 사실을 이해할 수 있답니다. 이것을 깨닫기만 하면 다른 사람에 대한 분노나 증오는 사라지고 기쁨이 그 자리를 대신해요.

이러한 기쁨의 원인이 신이라는 것을 알게 될 때, 우리는 신을 사랑하지 않을 수 없답니다. 이러한 사랑은 이성 인식을 통한 사랑이기에 스피노자는 이것을 신에 대한 지적인 사랑이라고 칭하고 있어요. 이러한 지적인 사랑에서 생기는 마음의 평화와 정신적 기쁨을 누리는 것이 바로 스피노자가 말하는 최상의 행복이랍니다. 신에 대한 지적인 사랑을 소유한 사람은 모든 감정의 속박으로부터 벗어나 세상에서 일어나는 어떤 일과 마주치더라도 수동적으로 감정에 의해 이리저리 휘둘리지 않을 수 있는 자유인이라고 할 수 있어요. 감정의 노예 상태로부터 벗어나 신 인식을 통해 자유인으로서 기쁘게 살아가는 것, 이것이 바로 스피노자 윤리학의 목표랍니다.

―《스피노자가 들려주는 윤리 이야기》 중에서

나 수많은 도덕철학자들과는 달리 스피노자는 이성으로 욕망이라는 감정을 억압하거나 제거하려고 하지 않아요. 아니 사실 스피노자에게 있어서 욕망은 억압과 제거의 대상이 아니랍니다. 왜냐하면 코나투스가 모든 존재하는 것들의 본질인 한 코나투스의 인간학적 표현인 욕망 역시 인간의 본질이기 때문이죠.

오히려 스피노자에 따르면, 이성의 역할은 욕망을 억압하거나 없애는 데 있는 것이 아닙니다. 욕망이 성공적으로 자신의 임무를 수행할 수 있도록 도와주는 데 있다고 할 수 있어요. 우리의 욕망이 존재 역량의 증대를 바라듯 이성 역시도 우리에게 존재 역량을 증대시킬 것을 요구한다는 거죠.

그럼 뭐가 다를까요? 간단하게 말하면 이성은 욕망에게 제대로 된 자기 보존을 위해 노력할 것을 권한다고 할 수 있어요.

이것은 이성이 욕망이라는 감정에게 주는 메시지라고 할 수 있어요. 이성은 길잡이가 되어 존재 역량을 부작용 없이 지속적이며 안정적으로 강화시켜 나갑니다. 그렇게 하여 기쁨으로 충만한 삶을 살아야 한다는 것이 스피노자의 충고입니다.

이성의 인도를 받는다는 것은 감정의 원인이 되는 상황을 인과관계의 필연적 연쇄 속에서 이해하는 것이랍니다. 이것을 깨닫기만 하면 경멸, 비난, 증오의 감정은 완화되고 사라질 수 있답니다. 요약하면 욕망은 외부 대상이 어떻게 나를 기쁘게 하는지 모르는 상태에서 외부 대상을 맹목적으로 추구하고 어떻게 나를 슬프게 하는지 모르는 상태에서 외부 대상을 맹목적으로 미워해요. 하지만 이성은 외부 대상과 나 뿐만 아니라 외부 대상이 나에게 어떻게 작용하는가에 대해서도 아는 상태에서, 참되고 적합한 인식을 갖는 상태에서 감정을 완화시켜 자기보존을 추구한다고 할 수 있어요.

이렇게 될 경우 더 나아가 모든 일을 기쁘게 받아들일 수 있게 됩니다. 더 이상 경멸, 비난, 증오의 감정은 존재하지 않게 되며 그러한 감정은 단순히 완화되고 사라지는 것만이 아니라 기쁨으로 전환된다고 할 수 있어요. 이를테면 사실을 올바르게 이해할 경우, 모르는 것을 알았을 때 오는 기쁨, 올바르게 이해할 수 있는 나 자신의 능력을 대견하게 느끼는 데서 오는 기쁨으로 우리는 엄청난 만족을 느낄 수 있어요. (……)

스피노자가 말하는 행복은 감정을 억제하고 통제하여 얻는 것이 아니랍니다. 감정을 이성의 힘으로 이해하고, 기쁨으로 바꾸는 데 있다고 할 수 있어요. 그러니까 기쁨으로 충만한 삶을 살기 위한 열쇠는 결국 이성이 가지고 있다고 할 수 있어요. 따라서 이성이 제 능력을 발휘할 수 있도록 해 주는 것이 무엇보다 중요해요. 왜냐하면 이성은 감각이나 상상에 의해 감정의 노예로 쉽게 전락할 수 있기 때문이죠.

— 《스피노자가 들려주는 윤리 이야기》 중에서

다 "예를 들어, 돌은 자신에게 가해지는 외적인 원인에 의해 특정한 운동을 합니다. 이 운동 덕분에 그 돌은 외적인 원인이 그친 뒤에도 필연적으로 계속 움직입니다. 이와 같은 돌의 지속적인 운동은 강제된 것이지 필연적인 것이 아닙니다. 왜냐하면 돌의 지속적인 운동은 외적인 원인의 작용에 의해 정의되어야 하기 때문입니다. 여기 이 돌에 관한 진술은 임의의 모든 개별적인 사물들에도 해당됩니다. 왜냐하면 모든 각각의 사물은 필연적으로 어떤 외적인 원인에 의해 존재하고 활동하도록 규정되기 때문입니다.

계속 움직이는 돌이 가능한 한 운동을 계속 하고자 생각한다고 상상해 보십시오. 이 돌은 자신의 열망만을 의식하고, 자신이 완전히 자유롭다고 믿으며, 자신이 원해서 그렇게 움직이는 것이지 어떤 다른 외적인 원인에 의해 그런 운동을 하는 것이 아니라고 믿습니다. 그리고 바로 이러한 사실은 인간의 자유에도 해당됩니다. 모두가 자유롭다고 자랑합니다. 사실은 인간이 자신의 욕망을 의식하지만 이 욕망을 일으키는 원인에 대해서는 알지는 못하면서 자유롭다고 말할 따름입니다. 유아는 우유를 자유롭게 먹고 싶어 한다고 믿습니다. 화가 난 소년은 자신이 자유롭게 복수한다고 믿으며, 겁이 많은 사람은 자신이 자유롭게 도망친다고 믿습니다. 술 취한 사람은 술이 깬 다음에 후회하게 될 말을 자유로운 결단에 의해 말한다고 믿습니다. 이렇듯 열 받은 사람과 입이 가벼운 사람들은 자유로운 결단에 의해 행위하고 있지, 충동에 휩쓸리고 있다고 믿지 않습니다. 그리고 이러한 선입견은 모든 사람에게 내재해 있기 때문에 사람들은 그 선입견으로부터 쉽게 해방되지 않습니다. 왜냐하면 인간은 경험을 통해 자신의 욕망을 결코 제어할 수 없다는 사실과 인간이 반대 감정에 휩싸일 때 종종 보다 좋은 것을 보고서도 보다 나쁜 것을 따른다는 사실을 충분히 알고 있음에도 스스로를 자유롭다고 생각하기 때문입니다."

— 폴커 슈피어링, 〈스피노자의 편지에서〉, 《세계사를 바꾼 철학의 구라들》 중에서

생각 쓰기

생각 쓰기

실전 논술

예시 답안

case 1

제시문〈가〉에서 경환이는 교통사고를 당해 돌아가신 어머니에 대한 집착 그리고 어머니의 죽음이 아버지 때문이라 생각하여 아버지를 향한 증오를 느끼고 있었다.

나의 돌아가신 할머니에 대한 집착은 둘(경환과 나)의 존재 역량을 계속 감소시키고 있다. 스피노자에 의하면 존재 역량이 증가하면 기쁨을 느낀다고 한다. 기쁨은 사랑으로 표현되기도 하는데 사랑이 커지면 집착을 하게 되며, 이 집착이 결코 존재 역량을 증가시키는 것이 아니라 오히려 감소시킨다고 한다. 본인은 '상대방을 사랑해서' 라고 이유를 붙이지만 상대방에게는 큰 사랑이 고통으로 다가오기 때문이다. 제시문 (다)가 이와 같은 결과이다. 강씨는 여자 친구를 너무 사랑하기 때문에 이별 뒤에도 계속 여자 친구에게 매달리고 집착을 하였다. 결국 집착은 범죄로 이어졌고, 여자 친구는 물론 상대방에게도 씻을 수 없는 상처를 주었다. 강씨가 여자 친구와 사랑을 나누면서 강씨의 존재 역량은 증가하였다. 그러나 강씨와의 사랑이 끝났어도 자신의 존재 역량을 증가시키거나 유지할 수 있는 다른 방법은 충분히 있었다. 사랑에만 몰두하고 집착하는 것은 기쁨과 존재 역량을 증가시키지 못한다. 집착은 마음을 죄어 오고 감정을 불편하게 만든다. 사랑이 커서 집착하는 것이라고 생각하지만 결국 슬픔을 낳게 되고, 존재 역량은 감소한다. 강씨는 여자 친구에 대한 욕망, 사랑을 감정에 맡기지 말고 이성적으로 판단했어야 했다.

case 2

〈가〉는 스피노자가 말하는 신 존재를 설명하고 있다. 스피노자는 신이 이 세계를 초월해 있는 것이 아니라 이 세계 안에 존재한다고 주장한다. 말하자면 신은 거대한 자연 세계를 아우르는 원리이자 자연 세계 자체인 것이다. 모든 생명과 물질, 자연 현상들은 신이 자기 자신을 드러낸 것이라고 할 수 있다. 따라서 자연 세계의 원리나 법칙을 알면 신의 존재를 파악할 수 있고, 신은 믿음이 아닌 이해와 탐구의 대상이 된다. 이때에 자연의 원리대로 흘러가는 것이 선이고, 역행하는 것이 악이다. 따라서 인간의 윤리나 도덕에 있어서도 자연적인 본성을 따르는 것이 선이라고 여긴다.

반면 〈나〉에서 말하는 종교적 신은 인격을 가진 초월자이다. 그는 이 세계를 창조하고 계속 지켜보면서 우리에게 계시나 기적을 통해 자신의 의지를 실현하는 자이다. 이때의 신은 선한 자에게 은총을 내리고 악한 자들을 벌하는 등 이 세계를 도덕적이고 선하게 만들기 위해 직접적으로 힘을 행사한다. 이때, 신의 가르침을 따르는 것이 선이고 그에 반하는 것이 악이다. 하지만 신의 직접적인 가르침은 계시나 기적을 통해 매우 개인적인 체험으로만 나타나기 때문에, 종교에서는 보편적이고 공통적으로 적용할 수 있는 신의 뜻으로써 교리나 성서를 만들어 내어 사람들이 따르도록 요구한다.

〈다〉의 안○○ 장로가 생각하는 신은 바로 〈나〉에서 말하는 인격신이다. 그는 자신에게 암이 발병한 것을 계기로, 지금까지 자신의 삶이 신의 인도 하에 있었다는 것과 신의 은총을 입은 것을 깨달았다고 말한다. 이는 신이 자신에게 직접적인 영향을 가했다고 믿는 것이다. 그는 생과 사를 오가는 암 투병 생활을 한 것이 자신에게 '감사'의 가치를 일깨워 주기 위한 신의 뜻이라고 생각한다. 안○○ 장로에게 있어 신은 자신의 기도를 듣고 믿고 응답해 주시는 인격신이며, 이는 〈나〉의 신 개념과 일치한다.

case 3

스피노자 윤리학의 목표는 감정이 억압하는 상태에서 벗어나 참된 인식을 가진 자유인으로서 살아가는 것이다. 제시문 〈다〉에 따르면 인간은 완전히 자유롭다고 생각하지만 사실은 우주의 필연적인 질서에 따라 움직일 뿐이다. 욕망이나 충동에 휩쓸리기 쉽다. 그렇다고 스피노자는 이성으로 욕망이라는 감정을 억압하거나 제거하려고 하지 않는다. 스피노자에게 있어서 욕망은 억압과 제거의 대상이 아니다. 오히려 스피노자에 따르면, 이성의 역할은 욕망이 성공적으로 자신의 임무를 수행할 수 있도록 도와주는 데 있다고 할 수 있다. 이성을 통해 상황의 원인을 정확히 알고 자연의 필연적인 법칙을 깨닫는 것이 중요하다. 이것을 깨달으면 다른 사람에 대한 분노나 증오는 사라지고 기쁨이 그 자리를 대신하게 된다. 감정에 의해 이리저리 휘둘리지 않고 감정의 노예 상태로부터 벗어나 신 인식을 통해 자유인으로서 기쁘게 살아가는 것, 이것이 바로 스피노자 윤리학의 목표이다. 지적인 사랑에서 생기는 마음의 평화와 정신적 기쁨을 누리는 것이 바로 스피노자가 말하는 최상의 행복이다.

Abitur

철학자가 들려주는 철학이야기 062

파스칼이 들려주는 갈대 이야기

저자_**박현정**

전남대학교 국어국문학과를 졸업하고, 조선대학교 대학원에서 국어교육학을 전공했다. 현재는 일산 대화중학교에서 교사로 재직하고 있으며 《중학 교과서 속 논술》, 《아비투어 철학논술 신채호 초급, 중급, 고급》, 《아비투어 철학논술 박지원 초급, 중급, 고급》을 썼다.

배경 지식 넓히기

Blaise Pascal

파스칼과 '갈대'

파스칼 주요 개념

1. 파스칼을 만나다

1) 파스칼의 삶

파스칼(Blaise Pascal, 1623~1662)의 삶을 설명하는 수식어는 천재 수학자, 물리학자, 철학자, 종교 사상가 등등 아주 많습니다. 그의 삶이 그만큼 다양한 분야에서 괄목할 만한 업적을 이룩했기 때문이겠지요.

파스칼은 1623년 프랑스 오베르뉴 지방의 클레르몽페랑에서 태어났습니다. 그리고 어려서 어머니와 사별하여 아버지와 함께 파리에 정착하였습니다. 별다른 학교 교육 없이 유클리드 기하학을 혼자 공부하는 등 어려서부터 수학에 자질을 보였습니다. 한 예로, 그는 16세 때 〈원뿔곡선 시론〉이라는 논문을 발표하여 당시 수학자들을 깜짝 놀라게 했다고 합니다. 1642년에는 세무 일을 하는 아버지를 위해 계산기를 만들어 내었는데, 바로 이것이 우리가 알고 있는 최초의 계산기입니다. 1648년에는 수은 기압계를 만들어서 토리첼리의 대기압에 관한 가설을 증명해 보였으며, 근대 확률론의 기초 확립에도 공헌한 바가 큽니다.

이렇게 수학과 물리학에서 명성을 떨치던 파스칼은 사교계에 진출하여 여러 사람과 친교를 맺고 인생의 즐거움을 누리게 됩니다. 그러다가 1654년부터는 사교계에 대한 혐오감이 싹트면서 종교에 귀의하게 됩니다.

그는 기독교 신자로서 신앙의 중요성을 역설했습니다. 그리고 무엇보다도 마음의 역할을 가장 강조했습니다. 수학자이면서 물리학자였던 그가 과학 기술이나 이성을 중요하게 생각했던 것은 사실이지만, 파스칼은 이 이성이 세상의 진실을 다 말해 줄 수는 없다는 깨달음을 전하려고 노력했습니다. 그는 이성이 이해하지 못하는 이유를 마음이 알고 있다고 설명하면서 세상의 모든 것이 다 이성에 의해 설명되지 않는다고 믿었습니다. 이성보다는 어떤 느낌이나 감정, 직관, 통찰과 같은 마음들이 진리를 설명하고 진리에 다가서는 데 더 효과적이라고 믿었던 것입니다.

파스칼은 수학자로 살았던 삶을 통해 이성의 중요성을 깨달았고 동시에 이성의 한계를 인식했습니다. 그리고 철저한 기독교 신앙을 바탕으로 한 종교적 삶을 통해 신앙의 의미와 존재를 인식하였습니다. 그리고 마음을 통해 이성과 신앙의 조화를 추구했죠. 직관과 주관의 중요성을 발견해 낸 것이 철학자로서 그의 업적이라고 할 수 있습니다.

그의 사상은 후대 철학자들에게도 많은 영향을 끼치게 됩니다. 프랑스인들은 그들이 사용하던 지폐에 파스칼의 초상을 그려 넣은 적이 있습니다. 이 사실은 프랑스인들의 파스칼의 업적과 사상을 얼마나 자랑스럽게 여기는지를 알 수 있게 합니다.

계산기의 역사

1614년 네이피어가 곱셈기를 발명하였는데 이는 동물의 뼈로 곱셈을 하는 방식입니다. 최초의 디지털 방식의 계산기는 1642년 바로 파스칼이 발명했습니다. 그 후 1671년 라이프니츠가 사칙연산기를 발명하였고, 1820년에 프랑스의 토마가 라이프니츠의 사칙연산기를 개량하여 상업용 실용기로 완성시켰습니다.

이탈리아의 폴레니는 1709년에 출입톱니식 계산기를 고안하기 시작하였고 1891년 오드너가 이 계산기를 완성하여 상품화 되었습니다.

계산기는 1885년 미국의 버로즈에 의해 실용화되어 보급되었습니다. 현재의 전자계산기가 가진 기억장치, 지시장치, 연산장치, 제어장치를 가진 계산기를 만든 사람은 베비지로 1830년의 일입니다. 1차 세계대전 당시 미국에서 릴레이(계전기)가 개발되었고, 2차 세계대전이 끝날 무렵에는 10진 방식 컴퓨터 애니악이 개량, 개발되어 현재에 이르게 되었습니다.

현대에 있어 '사칙연산'이란 누구나 손쉽게 해결할 수 있는 문제들 중 하나일지도 모릅니다. 그러나 지금 우리가 컴퓨터나 휴대폰 기능으로 손쉽게 계산해 낼 수 있게까지 그동안의 많은 수학들과 과학자들이 들인 노력을 잊어서는 안 될 것입니다. 그 출발점에는 다름 아닌 파스칼이 있습니다.

2) 팡세

파스칼은 자신의 철학과 사회에 대한 생각, 기독교 신앙과 은총에 대한 여러 가지 사유들을 단편적인 글들로 남겼습니다. 그러다가 다 완성하지 못하고 1662년 건강 악화로 세상을 떠나고 맙니다. 그가 사망한 후, 1670년 그의 친구들이 그가 남긴 원고들을 모아 '파스칼 씨의 사후 그의 유고 중에서 발견된 종교 및 그 밖의 여러 문제에 관한 사상집'이라는 제목으로 책을 출간하게 되는데 이것이 바로 그 유명한 《팡세》입니다. 우리말로 바꾸면

'명상록' 정도가 될 것입니다.

파스칼은 그의 유고집 팡세에서, 인간의 위대함과 그와 동반된 한계를 깨닫고 최고선(最高善)인 진리에 도달하기 위한 유일한 방법은 결국 종교적 신앙과 믿음뿐이라는 사실을 역설하고 있습니다. 팡세의 저자 파스칼은 실존주의 철학의 시발점이 되어 후대 철학에 지대한 영향을 미쳤습니다.

실존주의

실존이란 어떤 것이 개별자로서 존재하는 것을 의미합니다. 인간의 실존이란 인간이 가진 일반적인 본질보다도 개인의 실존, 특히 다른 사람과 바꿀 수 없는 독자적인 실존을 강조합니다. 실존주의 철학자들은 인간 정신을 개별적인 것으로 보아 개인의 주체성이 진리임을 주장, 인류는 개별적인 '나'와 '너'로 형성되어 있다고 하였다. 이런 주장이 실존주의 사상의 핵심이 되고 있습니다. 야스퍼스, 하이데거, 키에르케고르, 포이어바흐 등의 실존주의 철학의 대표적인 사상가들입니다. 개개인이 가진 인간의 마음을 무엇보다도 가장 중요하게 여겼던 파스칼은 실존주의 사상에 영향을 미쳤습니다.

3) 인간은 생각하는 갈대이다

'인간은 생각하는 갈대이다'라는 말은 파스칼의 가장 유명한 명언입니다. 그의 저서 팡세의 첫 머리에 등장하는 말입니다. 팡세에 어떻게 설명되어 있는지 한번 살펴볼까요?

자연에서 인간은 어쩌면 가장 약한 갈대와 같은 존재입니다. 강가에 있는 갈대와 같은 존재를 무너뜨리기 위해서는 온 우주가 동원되지 않아도 충분히 가능합니다. 갈대는 한 줄기 바람에도 꺾이고 한 방울의 이슬에 의해서 죽을 수도 있습니다. 마찬가지로 인간의 삶도 우주의 관점에서 보면 작고 나약한 존재일 뿐만 아니라 조그마한 시련과 고통에도 상처받고 좌절할 수밖에 없는 미물에 불과합니다.

그런데 여기서 우리가 놓치지 말아야 할 것은 바로 그런 갈대처럼 나약하고 보잘것없는 존재인 인간이 다름 아닌 '생각하는 능력', 곧 '사유의 능력'을 가지고 있다는 점입니다. 생각을 할 수 있다는 사실 하나만으로 인간은 나약한 존재에서 가장 고귀하고 값진 존재로 바뀌게 됩니다. 인간은 생각을 통해 자신이 갈대와 같이 미약하다는 한계를 스스로 알고 있습니다. 또 생각을 통해 진리와 우주의 힘이 자신보다 훨씬 더 우월하고 위대하다는 것도 알고 있습니다.

그러나 반대로 우주는 그 사실을 인식할 수 없습니다.

인간은 그 자체로 세상에서 가장 나약한 존재에 불과하지만, 우리가 가진 능력과 잠재된 생각을 통해서는 우주보다 더 크고, 위대한 존재가 될 수 있는 것입니다. 인간이 사유할 수 있다는 데에서 바로 인간의 존엄성은 빛을 발하게 됩니다. 그래서 파스칼은 자신의 존엄성을 시간이나 공간으로 확대시키는 것에서 구하지 않고 생각할 수 있다는 데에서 구한다고 말합니다. 파스칼에 의하면 많은 땅을 소유하는 것이 자신의 존재를 지키는 것이 아닙니다. 내가 아무리 많은 땅을 소유한다고 해도 결국 우주라는 무한의 공간은 나를 포섭해 버리고 나를 하나의 점으로 삼켜버릴 뿐입니다. 따라서 나의 존엄성은 많은 공간을 차지하는 데에서 오는 것이 아니라, 생각으로서 우주를 내 것으로 만들어 버리는 데에서 온다고 할 수 있습니다.

4) 파스칼의 명언들

파스칼은 많은 명언을 남긴 것으로도 유명합니다. 그가 남긴 말들 중에는 우리가 익히 들어 보았음직한 말들이 많습니다.

"클레오파트라의 코가 조금만 낮았더라면 세계의 역사는 완전히 바뀌었을 것이다."

이 말은 많이 들어봤을 겁니다. 실제로 파스칼은 '나로서는 무엇인지 모르는 것, 그 하찮은 것이 모든 땅덩어리를, 황후들을, 모든 군대를, 온 세계를 흔들어 움직이는 것이다. 클레오파트라의 코, 그것이 조금만 낮았더라면, 지구의 모든 표면은 변했을 것이다' 라고 말했다는군요.

이집트의 클레오파트라는 로마 장군 카이사르의 도움으로 이집트의 패권을 장악합니다. 그리고 카이사르가 암살된 뒤에는 권력자인 안토니우스와 사랑에 빠지게 됩니다. 타고난 미모를 가진 그녀는 역사를 움직이는 남자들과 교류하면서 힘을 키워 나갔던 것이죠. 파스칼의 이 말은 클레오파트라의 도도함을 코로 상징하여 그녀가 도도함을 조금 낮추었다면 역사가 완전히 다른 방향으로 흘러갔을 것이라는 하나의 '가설' 을 표현한 말입니다.

“모든 것은 항상 시작이 가장 좋다.”

시작이 반이라고 합니다. 혹은 첫 단추를 잘 채워야 한다고도 하죠. 요즘에는 초심(初心)을 잃지 말자는 말도 많이들 합니다. 시작이 좋으면 끝도 좋다는 말도 있습니다. 또 위대한 결과는 위대한 출발에서 나온다고도 합니다. 행복도 불행도 성공도 실패도 다 처음은 조그만 일에서 시작된다는 말도 있습니다. 이 말들은 모두 시작의 중요성을 역설한 말들이죠. 파스칼 역시 시작의 중요성을 간과하지 않고 있습니다.

“힘없는 정부는 미약하고 정의 없는 힘은 포악이다.”

정치를 논의할 때 한번쯤 들어봤을 법한 말입니다. 정부가 힘이 없다면 그 정부는 국민을 보호하고 지켜야 하는 책임을 다 할 수 없을 것입니다. 그러나 그 힘이라는 것이 정의가 바탕이 되지 않는다면 포악에 불과하다는 것이죠. 정부는 힘이 있어야 하는데 그 힘은 반드시 정의에서 비롯되어야 한다는 논리입니다.

그밖에도 파스칼은 “남들로부터 칭찬을 바란다면 자기의 좋은 점을 늘어놓지 말아라”, “해야 할 일을 하고 있는가가 가장 중요한 과제이다”, “고난에 지는 것은 수치가 아니다. 쾌락에 지는 것이야말로 수치이다” 등등 우리 삶에 중요한 의미를 가져다주는 훌륭한 명언들을 많이 남겼습니다.

실전 논술

논술 문제

case 1 (가)에 나타난 '인간은 생각하는 갈대이다' 라는 말의 의미를 (나)의 주인공이 처한 상황을 통해 설명하시오.

가 "그래, 맞아. '인간은 생각하는 갈대이다' 그때 나는 이 말이 인간은 갈대처럼 바람에 이리저리 흩날리는 연약한 존재를 뜻한다고 얘기했지. 하지만 이 말에는 이보다 더 중요한, 그래서 잊지 말아야 할 것이 있다고 말했는데 기억나니?"

그 순간 내 머릿속에 스쳐가는 것이 있었어. 그래서 나도 몰래 굳게 닫고 있던 입을 열었어.

"그것은 인간이 비록 갈대처럼 연약하지만 그러한 나약함을 '생각할' 수 있는 존재라는 거죠."

"응, 나빈이가 저번에 형이 했던 말을 잘 기억하고 있구나. 그래, 파스칼의 말처럼 인간은 생각하는 존재야. 만일 생각이 없다면 인간은 한낱 짐승에 불과할 거야. 여기서 좀 더 깊이 '인간은 생각하는 갈대이다' 라는 명언의 의미를 살펴볼까? 이 명언에서 '갈대' 는 인간의 나약함을, '생각함' 은 인간의 위대함을 뜻해. 파스칼은 인간이 지닌 '생각함' 에 의해 '갈대' 처럼 약하고 비참한 삶을 극복할 때 영원한 진리를 얻을 수 있다고 보았어. 물론 이때 진리는 이성이 아닌 심정으로 깨달을 수 있는 거고. 이제 알겠니? 인간이 지닌 위대한 힘의 의미를 말이야."

잠시 동안 또 다시 침묵이 흘렀어. 모두들 진지한 표정으로 생각에 잠겨 있었어. 나도 무엇인가 정확하게 말할 수는 없지만 마음에 와 닿는 것이 있었어.

"영석 씨의 말을 들으니 다시 뛰어 다닐 힘이 서서히 생기는데요? 맞아요. 삶의 고통을 느낄 수 있다는 그 자체에서 또 다른 극복의 가능성이 있다는 걸 다 큰 어른이 잊고 있었어요. 그 고통을 하나하나 극복할 때 비로소 삶의 숨겨진 진리를 만날 수 있다는 것을 다시는 잊지 말아야겠어요. 제가 잊고 있던 것들을 다시 말해주셔서 고마워요. 영석 씨."

— 《파스칼이 들려주는 갈대 이야기》 중에서

나 그날은 유난히도 비가 많이 내렸다. 걷기가 서툰 나는 평소보다 일찍 어머니와 등굣길에 나섰다. 어머니께서는 내가 빗물에 미끄러져 다칠세라 그날도 나를 업고 통학 버스 타는 곳까지 가 주셨다. 그날은 어머니 등이 왠지 더 커 보이고 편안했다. 나는 어머니의 등 뒤에서 한 손으로는 우산을, 또 한 손으로는 어머니의 목을 잡고 어머니가 비에 맞으실까 봐 우산을 앞으로 기울이곤 하였다. 그때마다 어머니께서는 앞이 안 보인다 하시며 자꾸만 우산을 뒤로 젖히라고 하셨다. 덕분에 나는 비 한 방울 맞지 않았지만, 어느새 어머니의 얼굴엔 빗물이 흘러 턱밑까지 물방울이 맺혀 있었다. 나는 미안한 마음에 어머니의 등에 얼굴을 댔다. 그리고 왜 이런 비를 내려 우리 엄마를 더 힘들게 하시는 거냐고 하느님께 원망(怨望)도 해 보았다.

그날도 그렇게 어머니의 힘겨운 배웅으로 나는 편안히 통학 버스를 탈 수 있었다. 그러나 수업이 끝날 때까지도 비는 그치지 않았다. 통학 버스를 타고 집으로 돌아오는 길이었다. 먼저 내리는 친구들을 보니, 집 근처에 버스가 도착하면 어머니들이 미리 우산을 들고 나와 계셨다. 우리 어머니께서도 지금쯤 날 마중하러 정류장에 나와 계실 것이라는 생각에 버스가 빨리 도착하기만을 바라며 나는 비에 젖은 창 밖의 낯익은 거리만 바라보았다.

드디어 버스가 내가 내릴 정류장에 도착하였다. 그런데 어찌된 일인지 버스가 집 앞에 멈추도록 어머니께서는 보이지 않으셨다. 조금은 섭섭했다. 하지만 어느 순간, 나도 이젠 비가 오더라도 아무 사고 없이 혼자서 집에 돌아갈 수 있다는 걸 어머니께 보여 드리고 싶어졌다. 그래서 빗속을 한 발 한 발 조심스럽게 걷기 시작했다. 나로선 처음이었다. 두려웠지만 조심조심 걸었다. 그러나 결국 물이 고인 웅덩이를 보지 못하여 넘어지고 말았다. 한순간에 운동화와 양말은 물론, 넘어지면서 손으로 물을 짚는 바람에 가슴팍까지 흙탕물이 튀었다. 흙탕물에 빠진 낭패감에 갑자기 눈물이 나기 시작했다. 그러나 그것도 잠시, 거기 서 있는 사람들이 나를 쳐다보고 있다는 걸 느끼는 순간, 창피한 생각에 얼굴이 달아오르고 마음이 급해졌다. 빨리 일어나야 한다는 생각뿐이었다.

하지만 급할수록 몸은 말을 들어 주지 않았다. 일어나려고 하면 주저앉고, 또 일어나려고 하면 주저앉고. 몇 번이나 해 봤지만 허사(虛事)였다. 이미 바지도 다 젖어 버렸다. 그때 눈앞에 의자 하나가 보였다. 순간 나는 그 의자가 있는 곳까지 필사적(必死的)으로 기었다. 의자를 짚고 일어나는 데는 별로 힘들지 않았다. 나는 물에 빠진 생쥐 꼴이 되어서야 걸을 수 있었다.

— 중학교 《국어 1》, 〈어머니의 우산〉 중에서

생각 쓰기

case 2 (가)에서 논의되고 있는 쟁점을 찾고, (가)의 '나'의 주장과 (나)의 명철이가 7일간의 체험을 통해 얻은 교훈이 보여 주는 공통된 생각을 설명하시오.

가 "전 수학이 이 세상의 모든 진리를 말할 수 있다고 확신해요. 그리고 수학적 사유의 토대인 논리적인 이성이 우리의 삶에서 가장 중요한 것이라고 생각해요. 논리적으로 생각하니까 수학, 과학도 발전해서 이 세상이 더욱 편리하고 좋아진 거잖아요."

가만히 듣고만 있던 나는 그 순간 폭발하지 않을 수 없었어.

"하지만 형, 전 이성적 사유가 아무리 똑 부러졌다고 해도 세상의 모든 진리를 밝힐 수는 없다고 생각해요! 이 세상에는 이성적 사유로 말할 수 없는 것도 얼마든지 있어요. 예를 들어 한 사람이 사랑하는 사람을 만나서 행복하게 사는 경우를 가정해 봐요. 수학적으로 또는 자연과학적으로 연인과의 사랑을 따지고 증명하고 계산하면서 사랑의 참된 의미를 꽃피울 수 있을까요? 그건 불가능해요."

—《파스칼이 들려주는 갈대 이야기》 중에서

나 시간이 한참 흘렀을 때, 누군가가 어깨에 손을 가볍게 올리며 물었다.

"사이버 들판을 다녀올 수 있는 비밀 통로가 있는데, 가볼래?"

"들판?"

명철이는 들판이라는 말에 귀가 솔깃했다. 그러나 곧 거절했다.

"안 돼. 지금 방을 나가면 이번 도전을 포기하는 거야. 컴박사의 명예를 잃게 된다고."

대답은 이렇게 하면서도 마음은 망설여졌다. 잠시라도 답답한 곳을 벗어나고 싶다는 갈등 탓이었다.

"괜찮아. 30분이면 다녀올 수 있으니까, 넌 이 방에서 꼼짝 않고 잠만 잤었다고 증명할 수 있어. 어서, 시간이 흐르잖아."

다정한 목소리가 시계의 째깍거리는 소리를 들려주면서 명철이의 마음을 꼬드겼다.

"잠깐 나갔다 오면 기분이 좋아진다니까."

"그래, 난 기계인간이 아니잖아."

명철이는 의자에서 벌떡 일어나 문 앞으로 갔다. 문이 스르르 열렸다.

명철이는 어느새 들판 가운데 서 있었다. 숨을 깊게 들이마셨다.

"와! 으흠."

아름다운 들판이었다. 들판을 가로질러 개울이 흐르고, 개울가에는 길게 자란 풀들이 산들바람에 흔들리고 있었다. 풀잎에는 또그르르 굴러 떨어질 듯한 이슬이 맺혀 있었다. 겅중겅중 방아깨비도 보였다. 하늘에는 뭉게구름도 떠가고 있었다. 그 어떤 들판보다 완벽한 아름다운 풍경이었다.

명철이는 힘껏 들판을 달려 보았다. 하지만 땀방울을 말리는 시원한 바람의 촉감은 전혀 없었다. 개울 속으로 들어가 풍덩거려 보아도 물그림자를 밟고 있는 느낌일 뿐이었다. 물장구도 칠 수 없었다. 이번에는 손으로 풀잎을 만져 보았다.

"으으!"

얼른 손을 떼며 몸을 움츠렸다. 풀잎에서 정전기가 일었기 때문이다.

"가상의 공간에서 자연의 맛을 기대하다니…… 내가 어리석었어."

명철이는 어깨를 축 늘어뜨리며 풀밭에 주저앉았다. 시간이 계속 흐르고 있었다.

'띵띵띵.'

시계의 초침 움직이는 소리가 빠르게 들려왔다.

"더 있을 거니? 5초만 지나면 문이 닫히는데."

"뭐라고? 5초 동안에 돌아갈 수 있을까……."

명철이는 헐레벌떡 들판을 뛰었다. 이슬방울에 바짓가랑이가 젖거나 말거나 온 힘을 다하여 달렸다.

'오, 사, 삼, 이, 일, 땡!'

마음속으로 세던 수가 끝나는 순간 간신히 도착하여 의자에 앉았다.

'철퍼덕.'

의자가 뒤로 밀려나는 바람에 명철이는 엉덩방아를 찧으며 넘어졌다.

방안이었다. 바짓가랑이를 내려다보니 물방울 하나 묻지 않은 채 말짱했다.

'휴, 진짜였으면 좋았을 텐데…….'

명철이는 들판에 대한 아쉬움으로 안절부절못하다가 뒤쪽 베란다로 나왔다. 바짝 마른 화분 하나가 놓여 있었다. 화분 속에는 이름을 알 수 없는 가느다란 풀 한 포기가 반쯤 허리를 숙인 채 버티고 있었다.

'아, 살아 있는 풀이다!'

명철이는 재빨리 수도꼭지에서 물을 받아 왔다. 물을 듬뿍 주고 풀잎이 고개 들기를 지켜보고 있었다. 손으로 살며시 만져 보았다. 보송보송한 아가 손의 촉감처럼 부드러웠다. 사이버 들판에서 느꼈던 풀잎 정전기의 섬뜩함을 말끔히 거둬 가며 잔잔한 감동을 전해 주었다.

톡톡. 유리창 두드리는 소리에 고개를 들었다. 창문 가까이 뻗은 나뭇가지 하나가 바람에 흔들리며 명철이를 들여다 보고 있었다.

"반가워."

명철이는 반가운 나머지 손을 흔들었다. 하루 종일 베란다를 서성이며 풀을 돌보고 나뭇가지를 지켜보았다.

다음 날, 7일간의 도전을 무사히 마친 명철이에게 기자 아저씨가 질문을 던졌다.

"정말 인터넷만 있으면 사람이 살아갈 수 있다고 믿나요?"

"그럼요. 이렇게 살았잖아요."

명철이는 빙그레 웃으며 커다란 발견인 양 덧붙였다.

"땀방울 말리는 자연 바람과 살아 숨 쉬는 풀 한 포기가 함께 있는 세상이라면 더욱 살맛 나겠지요" 라고.

— 초등학교 《국어 6》, 〈컴박사의 소중한 경험〉 중에서

생각 쓰기

생각 쓰기

case 3 (가)에서 과학의 역할과 그 한계를 지적하고, (나)에 나타난 세 가지 입장 중 가장 타당하다고 생각되는 의견 하나를 선택하여 설명하시오.

가 이를 더 잘 보여 주는 예로서 통증이 심한 불치의 환자의 경우를 들 수 있다. 이 환자에게 진통제를 다량 주사하면 통증을 느끼지 않으면서 죽게 될 것이라는 것은 과학적 지식이다. 그러나 이 과학적 지식이 곧 안락사의 결론을 내려 주지는 않는다. 또 다른 과학 지식은 다른 치료법을 사용하면 통증은 더욱 심해지지만 환자의 생명은 연장될 수 있음을 보여 줄 수 있고, 이때 두 방법 중 어느 것을 택하는 것이 옳으냐에 대해서 위의 두 과학 지식은 아무 결론도 내려 주지 못한다. 생명의 연장과 고통의 제거, 이 둘 가운데 어느 것이 더 중요한 것이냐는 결국 사람이(이 경우에는 의사가) 내릴 결정인 것이다.

따라서, 과학이 가치 중립적이라는 명제를 과학 지식이 인간의 가치에 무관한, 때로는 그에 반하는 방법으로 인간을 몰고 있다는 식으로 확대 해석하는 사람들의 잘못은 뚜렷해진 셈이다. 유전학 및 진화론이 히틀러의 유대인 학살을 낳게 했다거나, 상대성 이론과 원자 물리학이 원자력의 투하를 가져 왔다고 믿는 것은 이러한 오류의 전형적인 예인 것이다.

한편, 위에서 본 유전성 질병과 불치의 환자의 두 예는 과학이 어떤 면에서 가치와 유관할 수 있으며, 인간 사회의 문제의 결정에 어떻게 기여할 수 있는가를 잘 보여 준다. 유전학의 지식은 유전성 질병을 가진 사람에게 어떤 결정을 내려 주지는 못하지만 그가 결정을 내리는 것을 도와 준다. 즉, 구체적으로 어떤 증상이 유전할 것이며, 그 확률이 어느 정도인가 하는 데에 관한 지식을 유전학 지식이 제공해 주며, 이러한 지식을 갖게 되면 그의 결정은 그만큼 정확해지며 안전한 것이 될 것이기 때문이다. 불치의 환자의 예에서도 마찬가지다. 환자나 가족은 의사로부터 과연 전혀 치료의 가망이 없는가, 안락사의 과정이 얼마나 걸릴 것인가, 다른 치료법의 경우에는 얼마 만큼 생명을 연장시킬 수 있는가, 통증의 정도가 구체적으로 어떤가 등에 대해 구체적인 과학적 지식을 얻게 되며, 이런 지식에 바탕해서 결정을 내리게 된다. 이 두 예에서 보는 바와 같이 과학적 지식이 없을 경우에 결정을 내리기가 얼마나 힘들 것이고, 그렇게 내리는 결정이 얼마나 위험한 것일까는 쉽게 알 수 있는 일이다.

— 중학교 《국어 3》, 〈현대 사회와 과학〉 중에서

나 1. "나는 앞으로 살아가면서 내가 하고 싶은 공부, 장래의 직업, 인간관계, 결혼 등등에 관해서 수없이 많은 문제점들에 직면할 것이 분명해. 그 경우 나는 무엇을 가지고 어떻게 대처하여야만 할까? 가장 확실한 인간의 능력은 이성 이외의 다른 것이 있을 수 없어. 오직 냉철한 이성에 의해서만 문제들을 가장 현명하게 해결할 수 있기 때문이지. 그래서 나는 내게 문제가 발생하는 모든 순간마다 이를 내 이성적 사유를 동원하여 합리적으로 해결해 나가려고 해."

2. "이성에 의해서 문제를 합리적으로 해결한다고? 합리적인 것을 대표하는 것

은 수학이나 과학 등의 논리적인 학문이지? 그런 지식을 가지고 모든 문제를 해결할 수 있다고 말한다면 그것이야 말로 어리석기 짝이 없는 주장이지. 아무리 공부를 하려고 발버둥 쳐도 정신집중이 되지 않는데 그럴 경우 수학적 지식이나 과학적 지식이 무슨 도움이 되겠어? 내가 짝사랑에 빠져서 상사병을 앓고 있을 때 어떠한 이성적 사유가 나를 치료할 수 있을까? 전쟁이 터지고 끼니조차 때울 수 없을 지경이 되었을 때, 아무리 합리적이고 논리적으로 완벽한 지식이라고 해도 그것이 과연 그런 상황을 해결할 수 있을까? 나는 이성에 의한 합리적 지식보다 나 자신의 감정에 의해서 문제를 해결할 수 있다고 믿어. 솔직한 내 감정에 따라서 느끼는 대로 행동한다면 어느 정도 문제가 해결될 거야."

3. "두 사람의 주장은 모두 일리가 있어. 그런데 나는 인간의 문제를 해결할 수 있는 열쇠는 두 가지라고 생각해. 하나는 이성이고 또 하나는 신앙이지. 이성은 자연의 문제들을 해결하는 열쇠인 반면, 신앙은 초자연적인 문제들을 해결할 수 있는 열쇠라고 보면 돼. 그리고 이성이 참다울 수 있는 보장은 바로 신앙에서 나오는 거라고. 신앙은 계시를 바탕으로 한 믿음이라고 할 수 있어. 초자연적이며 절대적인 계시에 대한 신앙이 기본으로 깔리고, 그 위에서 이성이 작용한다면 이성과 신앙은 서로 조화를 이루는 셈이지."

— 《파스칼이 들려주는 갈대 이야기》 중에서

생각 쓰기

case 4 **(가)에서 과학의 역할과 그 한계를 지적하고, (나)에 나타난 세 가지 입장 중 가장 타당하다고 생각되는 의견 하나를 선택하여 설명하시오.**

가 건강하게 일하는 동안 우리 심신은 강화되며, 마음에 번식한 여러 가지 사악의 잡초 뿌리가 뽑힌다. 그리고 그곳에 행복과 기쁨의 씨앗이 뿌려져 춘하추동을 두고 무성하게 꽃이 피고 열매를 맺게 되는 것이다.

– 파스칼

나 그러면 일은 반드시 인간의 생존과 욕구 충족을 위해서만 존재하는 것일까? 생존의 문제가 해결되고 더 이상의 욕구 충족이 필요 없는 사람들은 일을 하지 않아도 되는 것일까? 은퇴하여 연금을 받아서 생활하는 노인들은 일을 전혀 하지 않고 놀기만 하는 것을 좋아할까? 재산이 많아 이자만으로도 자기 욕구를 충족시킬 수 있는 사람은 일이 필요 없지 않을까?

이 세상에서 가장 무서운 감옥은 사람에게 온종일 일을 하지 못하게 하는 곳이라는 말도 있다. 보수가 없더라도 목공일이나 손으로 하는 일을 할 수 있는 징역살이가 오히려 편하고 낫다는 것이다. 노인들도 자신들의 능력에 알맞게 할 수 있는 일이 있었으면 좋겠다고 한다. 서구에는 사회 보장 제도가 잘 되어 있어 실업자들도 생존의 염려가 없으나, 실업 후 한두 달은 휴가 기분처럼 느껴지지만 그 이상은 갑갑하고 답답해서 견디기 힘들다며 무보수라도 하는 일이 있었으면 좋겠다는 고백을 하는 경우도 있다.

그런 의미에서, 인간은 생존을 위한 수단이나 욕구 충족을 위해 일을 하기에 앞서, 본래 타고나기를 항상 일을 해야 행복한 존재라고 할 수 있다. 무엇보다도 인간이 일을 하기에 적합한 손을 가지고 태어났다는 사실이 이를 증명한다. 인간의 손은 생물학적으로 자연스럽게 일하도록 발달되어 있으며, 생활에 필요한 것들을 만들어 내는 일을 통해 보람 있고 즐거운 삶을 누리게 되는 것이다.

— 중학교 《도덕 2》, 〈일하는 즐거움과 풍요로운 생활〉 중에서

다 "무엇을 부족하게 해 드리지 않았습니까?"

교수님은 울고 있는 아주머니들을 똑바로 바라보면서 따지듯이 말했습니다.

"아니오, 그런 일 없었습니다. 저희 어머니의 방 냉장고는 늘 어머니께서 즐기시는 음식으로 가득 채워져 있었고, 옷장엔 사시사철 충분히 갈아입을 수 있는 비단옷으로 가득 차 있었습니다. 어머니께서 돌아가신 후 그걸 다 양로원에 기부했는데 열 사람의 노인네가 돌아가실 때까지 입을 수 있을 거라고 했습니다. 필요하시다면 그분들을 증인으로 부를 수도 있습니다."

"아, 알겠습니다. 이번엔 며느님에게 변명할 기회를 드리겠습니다."

"저도 마찬가지입니다. 지금도 그분의 방이 그대로 보존돼 있습니다만 부족한 건 아무것도 없습니다. 제 방과 똑같은 크기의 방에 제 방에 있는 건 그분의 방에도 다 있습니다. 그분이 한 번도 듣지 않는 전축이나 녹음기도 제 방에 있는 것이기 때문에 그분 방에도 들여 놓았습니다. 그랬건만 그분은 늘 불만이셨습니다."

"바로 그겁니다. 그걸 말씀해 주셔야 합니다."

교수님이 마침내 유도 심문에 성공한 형사처럼 좋아하며 그 아주머니 앞으로 한 발 다가갔습니다.

"그분은 손자를 업어서 기르고 싶어 하셨어요."

"그건 안 되죠. 안짱다리가 되니까."

"그분은 바느질을 좋아해서 뭐든지 깁고 싶어 하셨어요, 특히 버선을 깁고 싶어 하셨죠."

"점점 더 어렵군요. 요새 버선이라니? 더군다나 기워서 신는 버선을 어디 가서 구하겠소?"

"그분은 또 흙에다 뭘 심고, 거름을 주고, 김을 매고 싶어 하셨어요. 그분은 시골에서 자란 분이거든요."

"참으로 참으로 어려운 분이셨군요."

교수님이 낙담을 합니다. 이때 젊은 아저씨가 또 나섭니다.

— 중학교 《국어 1》, 〈옥상의 민들레꽃〉 중에서

생각 쓰기

생각 쓰기

실전 논술

예시 답안

case 1

파스칼은 '인간은 생각하는 갈대' 라고 말했습니다. 파스칼이 인간을 갈대에 비유한 것은 인간이라는 존재가 커다란 우주에 비해 나약하고 작은 존재에 불과함을 말하는 것입니다. 그런데 파스칼은 인간이 그냥 나약한 갈대이기만 한 것이 아니라 생각하는 갈대라고 했습니다. 생각을 할 수 있다는 것은 자신의 존재를 인식할 수 있다는 이야기가 되겠지요. 그런 점에서 인간은 위대합니다. 자신의 나약함을 알고 그 한계를 극복하는 과정에서 삶의 진리를 발견할 수 있다는 이야기입니다. 그렇게 생각하면 인간은 단지 약하기만 한 존재가 아니라 세상에 존재하는 어떤 무엇보다 위대한 존재가 될 수 있습니다.

(나)의 '나' 는 다리가 불편합니다. 다리가 불편해서 마음대로 움직일 수가 없기 때문에 어머니의 도움을 받아야만 학교에 오갈 수 있는 처지입니다. 그러나 '나' 는 어느 비오는 날, 어머니가 미처 데리러 오지 않은 기회에 혼자 걸어보겠다는 결심을 하고 그 결심을 실행에 옮깁니다. 물론 혼자 걷는다는 것은 힘든 일이었고 '나' 는 진흙탕에 빠져 넘어지고 맙니다. 그러나 '나' 는 진흙탕에서 주저앉지 않고 어떻게든 일어나려고 안간힘을 쓰게 되고 결국엔 스스로 의자에 앉을 수 있게 됩니다. 늘 어머니의 도움 없이는 아무 것도 하지 못하던 '나' 가 드디어 스스로의 한계와 어려움을 극복하고 홀로 서게 된 것이죠.

인간은 고통이나 시련 앞에서, 혹은 그 존재 자체만으로는 무한이 약하고 작은 존재이지만, 자신의 한계를 인식할 수 있는 생각하는 능력이 있으므로 그 한계를 극복하려는 의지까지 함께 가지고 있습니다. (나)의 '나' 가 혼자 힘으로 해 보겠다는 생각을 하지 않았다면 나는 평생을 어머니의 도움만으로 살아가야 했을 것입니다. 그러나 나는 생각을 했고 고난을 극복해 보려는 의지를 가지고 있었고 그런 점에서 나약한 존재가 아니라 훌륭하고 위대한 존재입니다. 생각을 할 수 있다는 점, 고난을 극복할 의지가 있다는 점에서 인간은 무엇보다도 위대하고 고귀한 존재입니다.

case 2

(가)에서 두 사람은 진리에 도달하는 방법에 대해 토론하고 있습니다. 진리에 도달하는 방법은 여러 가지가 있겠지요. 한 사람은 이성이 세상의 모든 진리를 설명해 줄 수 있다고 주장합니다. 즉 수학이나 과학의 발전이 삶의 풍요와 편리를 가져다주고 사회를 발전시켜 왔으므로 진리에 한층 더 가까이 갈 수 있게 해 주었다고 생각하는 것입니다.

반면 다른 한 사람인 '나'는 이성적 사유가 진리에 도달하게 해 준다는 말에 부정적입니다. 왜냐하면 세상에는 이성이나 논리로 설명하기 어려운 것들도 많기 때문이지요. 사람들 사이의 행복이나 사랑과 같은 것들은 수학적으로 수치를 계산할 수 없고 어떤 공식으로 증명해 보일 수도 없는 일입니다. 그건 이성과는 별개의 문제입니다. 따라서 이성이나 과학 기술이 진리에 완전히 도달하는 방법은 아니라는 것이 '나'의 주장입니다.

(나)의 명철이는 7일 동안 인터넷만으로 사는 것이 가능하다는 생각으로 체험

에 참여하게 됩니다. 컴퓨터의 발달이 우리 사회를 발전시켰고 삶을 풍요롭게 한 것은 부정할 수 없는 사실입니다. 그래서 사람들은 과학의 발달이 인간의 삶을 발전시키는 최고의 방법이라고 말하기도 합니다. 명철이도 처음에는 컴퓨터만 가지고 7일 동안 충분히 살 수 있다고 믿었으니까요. 하지만 7일 간의 경험을 통해서 명철이는 컴퓨터나 기계만으로는 인간이 살아갈 수 없다는 사실을 깨닫게 됩니다. 살아있는 풀 한 포기의 소중함을 뒤늦게 알게 된 것이죠.

(가)의 '나' 와 (나)의 명철이는 인간의 삶에 있어서 이성이나 과학 기술이 전부가 아니라는 사실에 주목하고, 그것보다 사람의 마음이나 자연과 같은 것들이 더 소중하다는 사실을 우리에게 알려주고 있습니다.

case 3 인류의 역사가 진행되는 동안 과학의 발전은 인간의 삶에 많은 도움과 영향을 끼쳐 왔습니다. 의학의 발달은 과거에는 고치지 못했던 불치의 병을 고치게 해 주었고 유전학의 발달은 유전적 질병을 어느 정도 예방하거나 개선하게 해 주었습니다. 그러나 과학이 인간의 삶을 풍요롭게만 해 준 것은 아닙니다. 예로 들고 있는 히틀러의 유대인 학살이나 원자 폭탄이 그 예가 되겠지요. 오히려 인간에게 해가 된 경우도 많습니다.

엄밀히 말해 과학은 인간이 가지고 있는 여러 가지 문제들에 대한 정보와 도움을 제공할 뿐이지 과학 자체가 직접적으로 인간의 삶을 풍요롭게 하거나 혹은 해롭게 하는 것은 아닙니다. 과학의 발달이 인간에게 도움이 될 것인지 아니면 오히려 해악이 될 것인지는 그 과학적 기술을 사용하는 사람의 마음에 달려 있습니다. 과학 기술을 올바르게 사용하면 인간에게 도움이 되고 나쁘게 사용하면 오히려 해를 끼치게 되는 결과를 가져오게 되는 것이지요. 따라서 이성이나 과학 기술의 발달이 인류의 모든 문제를 해결해 준다는 (나)-1의 주장은 한계가 있습니다. 그러나 과학의 발달이 우리 삶에 끼친 긍정적인 영향을 고려해 볼 때 (나)-2의 주장처럼 감정으로 문제를 해결한다는 것도 전부가 될 수는 없습니다.

(나)-3에서는 인간의 문제를 해결할 수 있는 열쇠는 이성과 신앙이라고 말합니다. 그리고 그 조화가 이루어졌을 때가 가장 바람직하다고 주장합니다. 이성과 합리에 의해 발달한 과학 기술을 초자연적이고 절대적인 자연에 대한 신앙과 인간의 올바른 마음을 바탕으로 사용할 때 참된 진실에 도달할 수 있다고 보는 견해가 가장 타당하다고 생각합니다.

case 4

(가)의 파스칼은 건강하게 일하는 삶의 아름다움에 대해 이야기하고 있습니다. 건강하게 일하는 것이 몸과 마음을 강하게 만들고 사악한 것들로부터 자신을 지켜 준다는 의미입니다.

(나)에서는 인간이 왜 일을 하는지에 대한 물음에서 출발합니다. 일반적으로 사람들은 일하는 것을 힘들다고 생각하고 쉬는 것을 편하다고 생각합니다. 그러

나 사실 일하지 못하게 하고 하루 종일 놀게 한다면 오히려 더 괴로움을 느낀다는 이야기입니다. 따라서 인간은 단순히 생존의 수단으로 일을 하거나 욕구를 충족시키기 위해 일하는 것이 아니라, 스스로의 행복을 위해 일하기를 원합니다.

그런 의미에서 (다)의 할머니는 일하는 삶을 원했습니다. 할머니의 딸과 며느리는 할머니를 잘 모신다는 생각으로 모든 것을 갖추어 주었습니다. 맛있는 음식과 비단옷, 그리고 갖은 기계들과 넓은 방. 그것으로 할머니가 행복해할 것이라고 믿었습니다. 그러나 할머니의 말을 통해서 우리는 할머니가 진정으로 원했던 것은 아무 것도 하지 않으면서 그저 호사나 누리는 것이 아니었음을 알 수 있습니다. 할머니는 손수 손자를 업어서 기르고 싶었고 손수 바느질을 하기를 원했습니다. 그리고 흙에다 무엇인가를 심고 거름을 주고 김을 매면서 키우고 싶었습니다.

그러나 며느리와 딸은 그것을 하지 못하게 했습니다. 할머니가 원하는 것은 아무 것도 못하게 하면서 그것을 효도라고 생각했던 것이죠. 자식들이 마련해 준 좋은 것들을 누리면서 그냥 편안하게 사는 것이 행복할 것이라고 생각하기 쉽지만 할머니들은 그렇게 생각하지 않았습니다. 할머니는 손수 무엇인가를 하면서, 즉 일을 하면서 살고 싶었던 것이죠. 인간은 아무것도 안 하고 그저 놀기만 할 때 행복한 것이 아니라 직접 무엇인가 일을 할 때 훨씬 더 행복하다는 사실을 알 수 있습니다.

철학자가 들려주는 철학이야기 063

포이어바흐가 들려주는 인간 이야기

저자_**박민수**

1964년 서울에서 태어나 연세대학교 문과대학 독어독문학과를 졸업하고 같은 대학교 대학원에서 실러 미학에 관한 논문으로 석사학위를 받았다. 이후 독일에 유학하여 베를린 자유대학에서 독문학과 철학을 공부했으며 '바움가르텐, 람베르트, 칸트, 실러, 헤겔의 미학에서 미적 가상의 복안' 이란 주제로 박사학위를 받았다. 그 동안 우리말로 옮긴 책으로는 《우리의 포스트모던적 모던》, 《신의 독약 - 에덴 동산 이후의 중독과 도취의 문화사》, 《데리다-니체, 니체-데리다》, 《거짓말을 하면 얼굴이 빨개진다 - 윤리의 문제를 생각하는 철학 동화》, 《책벌레》, 《크라바트》 등이 있다.

배경 지식 넓히기

Ludwig Feuerbach

포이어바흐와 '인간'

포이어바흐 주요 개념

1. 포이어바흐는 어떤 시대에 살았을까?

포이어바흐(1804~1872)는 법학자이자 철학자인 아버지 리터 폰 포이어바흐의 여덟 남매 자식들 중 네 번째로 독일의 란츠후트에서 태어났다. 포이어바흐의 선조들 중에는 법학자들이 많았고 형제들 중에도 법학자들이 있었다.

그는 하이델베르크 대학과 베를린 대학에서 신학을 공부하다가 아버지의 반대에도 불구하고 베를린 대학에서 전공을 철학으로 바꾸었다. 포이어바흐가 전공을 바꾼 이유는 베를린 대학에서 헤겔의 강의를 듣고 감동을 받아 철학을 공부하기로 결심했기 때문이다.

포이어바흐는 베를린 대학에서 주로 헤겔의 철학 강의를 들은 후 고향에서 가까운 남부 독일의 에얼랑겐 대학으로 옮겼다. 그리고 〈이성의 무한성, 통일성 그리고 공통성〉이라는 논문으로 박사 학위를 받았다.

포이어바흐는 1828년부터 1832년까지 에얼랑겐 대학에서 강사로 강의를 하였다. 그러다 1832년에 자신의 이름을 숨기고 《죽음과 영혼 불멸에 관한 생각》을 출판하였다. 이 책에서 그는 기독교를 이기주의적이며 비인간적 종교라고 비판하였다. 그런데 이 비판이 점차 알려지고 저자가 이름이 드러나면서 1836년에 에얼랑겐 대학 철학과는 포이어바흐의 강사직을 박탈해 버렸다.

1836년부터 포이어바흐는 브룩베르크에 은거해서 바이에른주 주정부가 주는 소액의 연금과 부인의 도자기 공장에서 생기는 수입으로 생계를 꾸려 나갔다.

1836년부터 1843년까지 그는 아놀트 루게와 함께 《독일 학문과 예술을 위한 할레 연감》이라는 잡지를 출판했다. 이 잡지는 원래 루게가 주관하는 잡지였다. 포이어바흐의 종교와 철학에 관한 초기의 중요한 저술들은 대부분 이 잡지에 실린 것들이었다.

그런데 루게가 마르크스와 손잡고 《독일―프랑스 연감》이라는 잡지 출판에 동참하자 포이어바흐는 루게와의 협력에서 손을 떼고 말았다. 포이어바흐는 그동안 꾸준히 저술 활동을 하면서 《기독교의 본질》(1841), 《미래 철학의 원리들》(1843)등을 출판했다.

1848년 12월부터 1849년 초까지 포이어바흐는 하이델베르크의 시청의 한 공간에서 '종교의 본질'에 관해서 공개적으로 강의했다. 이 강의는 대학생들의 요청에 의한 것으로서, 청중에는 대학생, 지성인, 노동자 등이 있었다.

대학생들의 요청으로 강의를 시작하면서 포이어바흐는 여러 대학에 교수직을 알아보았다. 하지만 어느 곳도 그를 원하지 않았다. 당시 포이어바흐는 생계유지도 어려웠기 때문에 1848년부터 1850년까지 미국 이민을 여러 차례 시도했다. 하지만 그 뜻을 이룰 수 없었다. 1860년에 부인의 도자기 공장이 파산하자 포이어바흐는 식구들의 생계유지를 위해서 여러 곳에 손을 벌릴 수밖에 없었다. 1872년 정신적으로 피곤하고 수차례 병치레를 거친 포이어바흐는 세상을 떠났고, 뉘른베르크의 묘지에 묻히게 되었다.

《기독교의 본질》(1841)

이 책은 포이어바흐가 하이델베르크의 시청 한 방에서 대학생, 지식인, 노동자를 위해서 강의한 내용을 책으로 엮은 것이다. 포이어바흐는 이 책에서 헤겔의 관념론 즉, 사변철학을 비판하고 자연주의와 인본주의의 입장에서 새로운 철학 곧, 미래의 철학을 제시하고 있다.

철학 교수와 철학자는 같은가요? 다른가요?

포이어바흐는 훌륭한 철학자로 이름이 알려져 있지만, 정작 대학 강단에서 강의는 거의 하지 못했다. 대학의 철학 교수와 철학자는 하는 일이 다르다는 뜻인데 어떻게 다를까? 포이어바흐를 비롯하여 쇼펜하우어, 마르크스는 세계적인 학자이다. 그런데 이들은 모두 대학 교수가 되지 못하고 자유로운 사상가로 활동하였다. 이런 경우는 다분하다. 에디슨은 청소년 시절에 꼴통 취급을 받았고, 소설가 프란츠 카프카는 법원 서기로만 알려져 있었다. 정신분석 학자인 자크 라캉도 대학 교수에 지원했다가 떨어졌다.

러셀과 비트겐슈타인과 같은 유명한 철학자들은 철학 교수로 재직하면서 오히려 자유로운 활동과 저술에 더 많은 시간을 보냈다. 대학의 철학 교수들 중 일부는 철학자이면서 사상가일 수 있으나 대부분 철학 교수들은 교육자들이고 독창적인 사상가는 아니라고 할 수 있다.

2. 헤 관장 對 포 관장 對 마 관장

1) 헤 관장 — 헤겔의 관념론

나의 철학은 한마디로 변증법적인 관념론이라네. 하하하. 변증법이 무엇이냐고? 그건 내가 주장하는 이론의 가장 핵심으로써 세계의 원리를 의미한다네. 잘 들어 보게.

변증법은 정반합의 순서로 진행되는 사물의 운동 논리라네. 씨앗의 예를 한번 들어 볼까? 씨앗을 땅에 심고 물을 주면 어떻게 되지? 씨앗이 더 이상 씨앗으로 있지 않고 자기 자신을 부정하면서 싹이 되지? 여기서 씨앗과 싹이 대립하는 존재라네. 씨앗은 자기 스스로를 부정하면서 자신과 대립된 싹으로 거듭난 것이지. 싹은 다시 줄기가 되고 가지와 잎사귀를 펼치다가 꽃을 피우지.

이처럼 원래의 상태와 반대되는 상태가 생기고 그 두 가지가 통일을 이루는 원리가 바로 변증법이라네. 생성과 변화의 운동이라고 할 수 있지. 꽃이 피고 열매가 맺히면 결국 어떻게 되겠나? 열매 속에 있는 씨앗이 다시 땅에 심겨져서 또 싹을 틔우고 자라겠지? 어때? 신비롭지 않은가? 조그만 씨앗 안에 이 모든 과정들이 이미 다 들어 있었던 거야.

이는 우리 인간도 마찬가지라네. 태아에서 영아로, 영아에서 청소년을 거쳐서 성인으로 성장해 가지. 성장 과정 속에서 긍정과 부정과 통일을 거듭하면서 성숙해지는 거라네. 인류 역사도 마찬가지지. 소외와 모순과 갈등의 통일이 끊임없이 이루어지는 변증법적 과정을 밟아가면서 인간은 계속해서 진보하고 발전해 나가는 게야.

우리 인류는 가장 완전한 존재인 절대정신으로 끊임없이 다가가는 중이네. 이는 모든 인류가 하나 되는 경지 바로, 인류의 최종 목적지라고 할 수 있지. 하지만 이 모든 과정의 배후에 이미 절대정신이 처음부터 자리하고 있다네. 우리에게 절대정신은 삶의 궁극적 목적이지만, 절대정신 자신은 인류 역사상에서 스스로를 전개하고 실현해 가는 것이지.

2) 포 관장 — 포이어바흐의 인간학적 유물론

헤겔, 참 재미있는 주장을 펼치시는군. 당신은 보편만 강조하고 개체를 무시하고 있어. 당신은 추상적이고 보편적인 형식만 알지, 구체적인 사물이나 개인은 잘 모르신다, 이 말씀!

사람들이 당신을 뭐라고 비판하는지 알아? 너무 관념적이고 사변적이라고 비판하고 있어. 당신은 예술, 종교, 역사, 민족 등 모든 배후에 관념적인 동일성에만 매달린다고.

동일성이 무엇이냐고? 바로 'A는 A이다' 라는 문장과 같은 것을 말하는 거야. 아무런 변화도 없고 발전도 없지. 당신은 분명 주어 A와 술어 A는 다르다고 주장하겠지. 씨앗에서 싹으로, 싹에서 줄기로 자라듯 주어 A는 씨앗이고 술어 A는 씨앗이었던 싹이라고 변명할 테니까. 하지만 그건 허황된 말뿐인 게야. 왜 그런지 말해 줄까?

당신은 긍정과 부정, 유와 무의 차이를 통해 정반합의 원리로서 통일을 이루어 나간다고 했지. 하지만 그것은 우리 앞에 펼쳐진 생생한 현실을 무시하고, 오로지 관념 속에서 이루어지는 과정일 뿐이야. 즉, 당신의 철학은 형식뿐이라는 거지. 당신은 절대정신이 자신을 전개해 나가는 과정도 중요하다고 말은 하지만, 사실은 그러한 대립을 통한 생성과 소멸의 변화 과정을 무시하고 있어. 왜냐? 그건 절대정신의 이전 단계이고, 미숙한 상태일 뿐이니까!

하지만 난 당신처럼 눈앞의 현실을 보지 못하는 바보가 아니지. 나의 철학은 헤겔처럼 내 땅, 네 땅 가르듯 정신과 육체의 영역을 나눠 놓고 한쪽 편만 드는 게 아니라고. 참고로 헤겔은 육체를 따돌리고 정신 편만 들었다지? 헹, 유치한 인간 같으니!

나의 철학은 말이지, 우리 앞에 다가오는 물질적인 세계를 인정하고, 헤겔이 절대정신이라 떠들면서 저 하늘 꼭대기로 보내 버린 영혼을 이 세계로 되찾아 오는 거야. 그리하여 결국 인간 개개인의 본성을 회복하는 데 있다고. 그래서 사람들은 나의 철학을 새로운 철학, 미래 철학이라고 하더군. 후후후. 인간이 인간다워야지, 신처럼 되려고 하면 어떻게 하자는 거야?

그런 점에서 종교도 문제가 있어. 기독교에서 말하는 천국과 지옥이 과연 정말로 있을까? 내 생각에 그건 사람들이 헤겔처럼 너무 관념적인 것에만 매달려서 만들어 낸 환상이야. 실재하는 건 오로지 물질로 이루어진 자연의 세계, 나의 감각으로 보고, 듣고, 만지고, 느낄 수 있는 이 세계뿐이라고. 참다운 현실을 보도록 해. 인간을 바라보는 나의 인간학적 유물론이야말로 진실을 말하고 있으니까.

마지막으로 한 가지 더 알려 주지. 양파를 한번 떠올려 봐. 양파의 가장 겉에 있는 껍질은 철학에, 그 속에 있는 중간 껍질은 신학에, 가장 속에 있는 알맹이는 인간학에 비유할 수 있어. 무슨 말이냐고? 우리끼리 터놓고 말하자면, 가장 추상적이며 헛소리하는 것이 철학이고, 철학과 똑같은 수준이지만 그보다 아주 조금 현실적인 것이 신학이고, 구체적이고 감각적인 이 자연 세계 속에 사는 우리 인간의 현실을 다루는 것이 인간학적 유물론이라는 말씀! 이제 충분히 알아들었지?

3) 마 관장 — 마르크스의 공산주의적 유물론

헤겔과 포이어바흐, 정말 대단하군요. 하하하. 철학자들은 참 다양한 방법으로 세계를 해석하네요. 하지만 철학의 핵심은 세계를 변화시키는 것입니다. 무슨 말이냐고요? 세계를 해석하는 건 이론에 해당합니다. 그리고 세계를 변화시키는 것은 실천에 해당하죠. 저는 이론과 실천의 통일 그 이상을 목표로 삼고 있어요.

지금까지 철학자들은 세계에 대해 이러쿵저러쿵 해석만 하면서 실천은 하지 않고 그대로 놔두고 있었어요. 여기서 제가 말하는 세계는 물질적인 자연 세계뿐 아니라 경제, 정치, 문화, 학문, 예술, 종교 등 역사적이고 사회적인 세계까지 모두 포함됩니다. 이 모두가 바로 철학의 탐구 대상이지요.

나의 정치, 경제 철학은 세계를 변화시킴으로써 인간을 해방하고자 합니다. 혹자들은 헤겔 이후에 바로 저의 철학이 나온 줄 알고 있는데, 사실은 그 중간에 포이어바흐가 있답니다. 저는 앞서 나왔던 헤 관장과 포 관장, 두 사람의 영향을 받아 저만의 유물론을 세우게 된 것이지요.

포이어바흐는 헤겔이 관념적이고 사변적이라고 비판했지만, 저는 포이어바흐도 마찬가지로 너무 관념적이라고 생각해요. 그의 인간학적 유물론은 현실 정치의 문제를 보지 못하는 추상적인 면이 있습니다.

하지만 포이어바흐가 사회 변천의 기본을 물질이라고 주장한 점은 무척 일리가 있어요. 저도 그런 포이어바흐의 영향을 받아서 우리의 삶의 토대가 물질적 생산 관계라고 보게 되었으니까요. 사람들은 저와 제 친구 엥겔스를 대표적인 유물론자로 꼽습니다. 우린 물질을 생산하고 소비하는 경제야말로 사회생활의 근본이라고 믿습니다.

어쨌든 포이어바흐가 헤겔의 변증법 철학을 유물론 쪽으로 이끌어 준 공은 인정할 수밖에 없습니다. 그 덕분에 독일 철학이 과학적으로 설 수 있는 기반이 마련되었으니까요. 하지만 전 여전히 포이어바흐가 헤겔의 관념론을 비판하면서 자신의 관념 안에 사로잡혀 있을 뿐이라고밖에 볼 수 없네요. 그는 정치나 사회 현실엔 전혀 관심도 없었고, 우리의 실생활을 전혀 바꿔 놓지 못했으니까요.

3. 교과서에서 만난 포이어바흐

포이어바흐는 철학사에서 유물론자로 불린다. 유물론은 물질을 제1차적이고 근본적인 것으로 생각하고, 마음이나 정신을 부차적이고 파생적인 것으로 보는 입장이다. 이와 반대로 관념론은 관념 또는 관념적인 것을 물질적인 것보다 우선으로 본다. 관념론과 유물론에 관해 고등학교 교과서 《윤리와 사상》은 관념론과 유물론의 대표자로 각각 데카르트와 마르크스를 꼽고 있다.

데카르트는 의심할 수 있는 모든 것을 부정해 나가다 그 끝에 다다랐을 때 도저히 부정할 수 없는 하나의 진리를 발견한다. 그것은 바로 '생각하는 나' 였다. 세상과 타인, 내 몸과 감각까지 모든 게 가짜라고 하더라도 그것을 의식하는 내가 있다는 사실은 부정할 수 없었던 것이다. '생각하는 나' 가 '실제로 존재한다' 는 데카르트의 확신은 모든 의심을 단번에 반전시킨다. 그리하여 그는 나 자신뿐 아니라 이 세계와 신까지도 실제로 존재한다는 것을 논증해낸다.

반면 마르크스는 보다 후대 사람이다. 데카르트에서 출발한 관념론이 헤겔에서 완성되었다면, 마르크스는 헤겔의 사상을 이어받아 사회주의적 유물론을 주장했던 사상가이다. 그는 물질로 만들어진 인간이 욕구 충족을 위해 생산 활동을 하는 것이 사회의 기본 구조라고 생각하였다. 이러한 토대에서 정신적 문화라 할 수 있는 정치, 철학, 종교 등이 파생되어 나왔다는 것이다.

"데카르트가 '나는 생각한다. 그러므로 나는 존재한다' 라고 말했을 때, 그는 관념론적인 입장을 드러낸 것이다. 마찬가지로 근대 서양 사상의 발전 과정을 계몽주의, 합리주의, 낭만주의 등의 용어를 통해 파악하는 입장은 관념론적 관점에서 사상사를 파악하는 것이다. 유물론적 입장을 견지하는 마르크스에 따르면, 인간의 생산 활동이야말로 사회에 기본적인 것이며, 인간의 생산 활동을 해석하고 조직하는

관념론과 유물론

관념론은 관념 또는 관념적인 것을 실재적 또는 물질적인 것보다 우선으로 보는 입장이다. 유물론은 물질을 제1차적이고 근본적인 실재로 생각하고, 마음이나 정신을 부차적이고 파생적인 것으로 보는 입장이다. 관념론적 사회사상은 인간의 정신적 생활 및 의식을 중심으로 사회 현상을 설명하는 사상이고, 유물론적 사회사상은 인간의 물질적 삶 및 생산 활동을 중심으로 사회 현상을 설명하는 사상이다. 관념론적 사회사상은 인간의 역사를 문화·종교·철학과 같은 추상적 원리의 전개에 의해 설명한다. 한편, 유물론적 사회사상은 인간의 역사를 추상적 원리 대신에 사회의 경제적 토대 또는 사회 계급 간의 갈등에 의해 설명한다.

정치적 · 철학적 · 종교적 관념과 개념은 부차적인 것이다. 이러한 구분에 비추어 볼 때, 근대의 주요 사상 가운데 사회주의는 유물론적 사상을 기초로 하고 있는 데 반해, 자유주의 · 보수주의 등은 대체로 관념론적 사상을 기초로 하고 있다."

4. 기출 문제에서 만난 포이어바흐

2008학년도 동국대학교의 수시2학기 인문계 논술고사에서는 허무주의 사상의 유래와 특징에 관한 제시문을 출제하였다. 이 제시문은 르네상스 이래로 진행되어온 인간 이성과 물질적 세계에 대한 중시는 19세기에 이르러 실증주의를 낳았고 전통적인 형이상학적 기초와 도덕과 종교를 무의미한 것으로 만들었다고 지적한다. 그리고 전통적인 사상, 이론, 진리, 지식, 규범 등의 가치를 일체 부정하는 것을 허무주의라고 하면서 이 허무주의자들에 큰 영향을 준 사상가들로 루트비히 포이어바흐, 찰스 다윈, 허버트 스펜서 등을 들고 있다. 이들은 인간이 육체와 영혼, 정신적 실체와 물질적 실체의 결합이라는 이원론을 부정했기 때문에, 교권과의 격렬한 싸움에 돌입했다. 또한 신권에 관한 교설에 의문을 제기했기 때문에 세속의 온갖 권위들과도 충돌하게 되었다.

포이어바흐는 기독교의 본질에 관해 탐구하면서 당시로는 혁명적인 이론을 제시했다. 신은 인간의 거울이다. 하지만 인간은 자신이 역사 속에서 이 거울을 창조했고, 이 거울 속에서 자신 이외에 아무것도 보지 못한다는 것을 의식하지 못한다. 인간이 생각하고, 의도하고, 사랑하는 대로 신의 모습도 달라진다. 따라서 포이어바흐는 신학을 인간학으로 바꾸려고 했다. "신은 인간의 내면이 밖으로 드러나는 것이고, 인간 자신의 표현이다. (……) 종교는 인간 정신의 꿈이다. 내가 할 일은 종교의 눈을 여는 것 혹은 내면으로 향해 있는 종교의 눈을 바깥으로 돌리는 것뿐이다. 다시 말해 나는 표상이나 상상 속의 대상을 현실의 대상으로 전환시키는 일을 할 뿐이다." 결론적으로 포이어바흐는 인간이 만물의 척도가 되어야 하며 "인간은 인간에게 신이다"라고 주장하며 신학이 아닌 인간학이 필요함을 역설했다.

실전 논술

논술 문제

case 1 제시문 〈가〉에서 아저씨는 인간의 사랑을 강조하고 있다. 이 아저씨가 제시문 〈나〉에 있는 보영이 엄마에게 어떤 충고를 해 줄 수 있을까? 제시문 〈다〉의 밑줄 친 내용과 연관 지어 적어 보시오.

가 "그리고 그건 바로 공동체를 가능하게 하는 힘이지. 그래서 포이어바흐는 인간의 모든 감각과 감정 중에서 가장 기본적인 것을 사랑으로 본 거야. 그가 유물론자였다고 마냥 냉혹하고 감정도 없는 사람은 아니었다고."

이루는 가만히 아저씨의 다음 말을 기다립니다. 엄마도 아빠도 기다리십니다. 아저씨는 따사로운 햇살의 읊조림처럼 마지막 맺음말을 합니다.

"그는 인간을 세계 중심에 자리 잡게 했지. 인간에게 가장 중요한 것을 사랑이라고 본 마음이 따뜻한 사람이었단다."

아저씨가 돌아간 후에도 '마음이 따뜻한 사람' 이라는 아저씨의 말이 이루의 귓가에 오래 남아있습니다. 결국 중요한 것은 인간의 마음이라는 생각을 해봅니다. 세상은 다양한 사람들이 모여 사는 곳입니다. 누구 하나의 목소리만 높아서는 살 수 없습니다. 아빠는 아저씨를 배웅하고 나서 이렇게 말했습니다.

"역시 요리라는 건 말이야, 어느 한 가지 재료만 튀어서는 안 되는 거야. 각각의 맛이 다 살아있으면서도 조화를 이루는 데 궁극의 맛이거든. 저 혼자 잘났다고 자기 맛만 내려고 하면 결코 맛있는 요리가 되지 못하지. 버섯 맛만 나는 게 무슨 버섯 불고기겠냐?"

—《포이어바흐가 들려주는 인간 이야기》 중에서

나 "당연하지요. 두 눈 뜨고 그런 꼴을 보란 말이에요?"

보영이는 뭔가 엄청난 일이 벌어지고 있음을 알 수 있었다. 그렇게 좋은 사람들만 모인 반상회에서 반대한다는 것은 분명 특수학교가 설립되어서는 안 될 만한 이유가 있을 것이라 직감했다.

"이런 이기적인 사람들을 보았나. 지난번 반상회 다녀온 얘기 듣고 나선 서로 돕는 화목한 공동체라고 생각했는데, 영 딴판이었군. 정작 이해와 배려가 필요한 이런 일에 발 벗고 나서서 반대를 하다니, 정말 실망이야. 당신도 마찬가지고."

아빠 말을 듣고 보니 그것도 그럴 듯했다.

'두 달에 한 번씩 바자회를 열어서 어려운 이웃을 돕는 주민들이 왜 장애 학생들을 위한 특수학교 설립은 반대하는 걸까?'

"모르는 소리 말아요. 이건 불우 이웃 돕기와는 차원이 달라요. 집값이 완전히 똥값 되는 건 시간문제라고요. 게다가 우리 애를 그런 장애아들 속에서 키우란 말이에요?"

엄마가 냉수를 벌컥벌컥 들이켜며 따다다다 말했다.

"어울려 자라는 데 어때서 그래? 오히려 그게 산 교육이지. 그게 바로 더불어 사는 사회라고. 그런 일로 집값이 떨어지는 우리나라도 문제고, 그걸 두려워하는 당신들도 문제야. 참 답답한 노릇이네."

— 《토크빌이 들려주는 민주주의 이야기》 중에서

다 포이어바흐는 의욕과 사랑과 사유 중에서도 사랑을 가장 중요한 인간의 본질로 봅니다. 포이어바흐가 보기에 철학적인 사랑이나 기독교의 종교적인 사랑은 모두 추상적이고 허구적입니다. 왜냐하면 그러한 사랑은 결국 인간의, 인간에 대한 사랑을 바탕 삼아서 상상된 것이기 때문이지요. 포이어바흐는 다음처럼 말합니다.

"나는 현실적이며 감각적인 본질이다. 몸은 나의 본질로 이루어져 있다. 실로 몸이야말로 그 전체로 나의 자아이며 나의 존재 자체이다."

인간의 본질은 몸의 본질입니다. 앞에서 말한 물질적, 감각적인 의욕과 사랑과 사유는 바로 '몸의' 의욕과 사랑과 사유인 셈이지요. 그러면 인간의 본질을 실현할 수 있는 곳은 어디일까요? 포이어바흐는 오직 나와 너의 통일인 공동체 안에서 비로소 인간의 본질이 실현될 수 있다고 믿습니다.

— 《포이어바흐가 들려주는 인간 이야기》 중에서

생각 쓰기

case 2 **제시문 〈가〉와 〈나〉에서 각각 이야기하는 인간의 중요한 가치가 무엇인지 짚어 보고, 둘 중 어느 것이 제시문 〈다〉에서 드러나는 인간의 가치와 같은 것인지 이야기해 보시오.**

가 우리들은 마음의 여유가 생길 때 자기 스스로에게 혹은, 주변사람들에게 이런 질문을 던질 때가 있습니다.

"도대체 인간이란 무엇일까? 인생살이는 너무 힘들구나. 말할 수 없는 고뇌와 번민을 누구나 다 남 모르게 짊어지고 있겠지?"

"그래, 맞아. 이런 힘든 인생을 인간은 왜 사는 거지?"

"인간의 본질을 알면 인간이 무엇인지도 알 수 있고 나아가 인간이 왜 살고 있는지도 알 수 있지 않을까?"

이와 같은 질문에 독일의 철학자 포이어바흐는 인간의 본질이 의욕, 사랑, 사유에 있다고 하였습니다. 그가 말하는 의욕, 사랑, 사유는 모두 감각적인 것입니다. 왜냐하면 그는 인간을 물질적인 자연 과정의 한 존재로 보았기 때문입니다.

밥을 지을 때 쌀을 끓이다가 불을 줄이고 뜸을 들이는 과정이 따로 있듯이, 엄격한 지식의 성립에도 또 하나의 조건을 충족해야 하는 과정이 남아 있습니다. 참인 정보에 대한 확신할 수 있는 정당한 지식을 가졌다고 할 수 있을 때 비로소 '그 정보를 안다' 즉, 그 정보에 대한 지식을 가졌다고 할 수 있는 것입니다. 이런 세 번째 요구를 지식 성립의 정당화 조건이라 합니다.

—《포이어바흐가 들려주는 인간 이야기》 중에서

나 일상적인 삶을 살아가는 우리들은 대체로 유물론적인 생각에 익숙합니다.

"너는 생활하는 데 제일 중요한 것이 무엇이라고 생각하니?"

"물어볼 필요도 없지 않니? 돈이지 뭐야?"

"하긴 돈이 중요하긴 하지. 그래도 나는 인간의 능력이 제일 중요하다고 생각해."

"능력도 다 능력을 키울 수 있는 경제적 뒷받침이 있어야 발휘할 수 있는 것 아니겠어?"

이 대화에서 알 수 있는 것처럼 우리들은 일상생활에서 일반적으로 상식적 유물론의 입장을 띠기 마련입니다.

—《포이어바흐가 들려주는 인간 이야기》 중에서

다 10일 베이징에서 박태환(19) 선수의 '금빛 낭보'가 전해지자 국민들은 환호성을 질렀다. 한국 수영이 올림픽에 도전한 지 44년 만에 나온 첫 메달을 금빛으로 장식했다는 기쁨에 국민 모두 폭염도 잊은 채 삼삼오오 모여 이야기꽃을 피웠다.

박 선수가 다니는 단국대와 모교인 서울 경기고에서는 금메달 소식에 열광했다.

(……)

경기고 교장을 지낸 박 선수의 은사인 전 교장은 "어려운 환경에서도 희망을 잃지 않고 훈련에 매진해 금메달을 따낸 태환이는 한국인의 꿈이다. 오늘의 영광은 금메달을 바라는 한국인들의 합쳐진 마음의 결과"라고 감격스러워했다.

인터넷 포털 사이트에서도 네티즌들은 수천 개의 댓글을 달며 박 선수의 승리에 열광했다. 아이디 'ho*****'를 쓰는 네티즌은 "지금까지 수영은 서양의 독무대였다. 박 선수는 한국의 보배고 아시아의 보배다"라고 치켜세웠다.

— ○○일보, 2008년 8월 11일자 기사

생각 쓰기

생각 쓰기

case 3 다음의 제시문을 읽고 포이어바흐가 생각하는 종교와 인간 사이의 관계에 대해 설명하시오.

포이어바흐는 종교의 발생을 인간의 본질 즉, 자신의 행복을 추구하는 인간의 이기주의로부터 설명하려 했다. "인간이 신을 믿는 것은 상상력과 감정 때문만이 아니라 행복해지려는 욕구 때문이기도 하다. (……) 인간은 자신이 소망하지만 현실에서는 실현되지 않은 상태가 자신의 신에게서 실현되어 있다고 생각한다. 따라서 신이란 실재한다고 생각된 인간의 소망, 현실적 존재로 변이된 인간의 소망에 지나지 않는다. (……) 인간에게 소망이 없었다면, 상상력이나 감정의 작용에도 불구하고 종교나 신은 탄생하지 않았을 것이다. 그리고 인간마다 소망이 각양각색이듯 종교도 각양각색일 수밖에 없다."

자연은 인간의 소망 충족을 여러모로 방해한다. 이 때문에 인간은 자신과 유사하고 자신을 사랑하며 자연의 맹목적 필연성을 초월하는 어떤 존재를 떠올려 위안을 얻고자 한다.

"천국의 보호라는 지붕 아래서 돌아다닌다는 것은 얼마나 쾌적한 일이며, 불신자들처럼 가차 없는 자연의 운석과 우박과 호우와 햇살에 직접 노출된다는 것은 얼마나 괴롭고 절망적인 일인가."

그러나 이처럼 상상의 종교에서 소망을 충족시키는 것은 인류의 유치한 꿈일 뿐이다. 인간은 꿈에서 깨어나야 한다. 그리고 종교에 의해 오직 상상에서만 얻었던 것을 자신의 힘으로 직접 현실에서 획득해야 한다. 이럴 때에야 인간은 자연의 야만성과 맹목적 우연성에서 해방된 아름답고 행복한 존재가 된다. 그리고 이런 목표에 도달하려면 교양과 문화에 의해 자연을 제어할 수 있어야 한다. (……)

"이제 중요한 것은 신이 존재하느냐 아니냐의 문제가 아니라 인간이 존재하느냐 아니냐의 문제이다. 이제 중요한 것은 신이 우리와 동일한 존재이냐 아니냐의 문제가 아니라 우리 인간이 서로 동등하냐 아니냐의 문제이다. 또한 우리에게 중요한 것은 인간이 어떻게 신 앞에서 정의로울 것인가의 문제가 아니라 신이 어떻게 인간 앞에서 정의로울 것인가의 문제이다. 우리가 먹는 빵이 주님의 육신이냐 아니냐가 중요한 문제가 아니라 우리가 우리 자신의 육신을 위해 빵을 얻는 것이 중요한 문제이다. 그리고 신의 것은 신에게, 황제의 것은 황제에게 주는 일이 중요한 문제가 아니라 우리가 마침내 인간의 것을 인간에게 주는 일이 중요한 문제이다."

— 한스 요아힘 슈퇴리히, 《세계 철학사》 중에서

실전 논술

예시 답안

case 1

인간에게 가장 중요한 것이 무엇이고, 왜 사는지 등을 물어보면 사람마다 다른 대답을 할 것이다. 포이어바흐는 인간의 인간에 대한 사랑을 중요하게 여겼다. 이 사랑은 신이나 종교에 대한 사랑이 아니라 인간을 향한 사랑이다. 제시문 〈가〉의 아저씨는 인간의 기본적인 사랑을 바탕에 두고 공동체 생활을 영위하여야 한다고 본다. 인간에 대한 사랑을 전제로 한 공동체 생활은 인간을 차별하지 않고 다양한 사람들이 어울려 살 수 있는 삶을 뜻한다. 그런데 제시문 〈나〉의 보영이 엄마와 반상회에 참석한 사람들은 다양한 사람의 인격체를 존중해 주지 않고 있는 행위이다. 우리 주변에는 불가피하게 장애우가 된 사람들이 있다. 그런데 이들과 사랑으로 함께 생활하려고 하지 않고 개인적인 금욕을 우위에 두는 것은 포이어바흐의 인간 본질을 훼손하고 있는 일이다. 차별을 둔 공동체가 아니라 모든 사람들이 함께 할 수 있는 공동체 안에서 장애우들도 사랑으로, 차이 없는 인간이라는 생각으로 함께 해야 한다.

case 2

제시문 〈가〉의 포이어바흐는 인간을 자연적인 생명으로 여기면서, 인간의 가치는 의욕과 사랑과 사유 능력에 있다고 주장한다. 이때 의욕과 사랑과 사유는 인간이 물질적인 생물이란 것을 전제로 한다. 즉 우리가 일반적으로 정신적 능력이라 여기는 의욕과 사랑과 사유가 감각적인 능력이며, 이로 인해 인간은 고귀한 가치를 띤다고 주장하는 것이다. 반면 제시문 〈나〉는 일상적으로 인간을 평가하는 잣대로 돈과 능력에 관해 이야기하고 있다. 이 기준은 각기 다른 다양한 사람들을 단 하나의 잣대로 평가하게 만들어, 인간의 진정한 가치를 알아보지 못하게 할 수 있다.

제시문 〈다〉에서 박태환 수영선수를 응원하는 많은 이들은 박 선수를 한국인의 꿈과 보배, 나아가 아시아의 보배라고 말하며 그의 가치를 매우 높이 평가하고 있다. 그들이 박태환 선수를 높이 사는 이유는 그가 단지 올림픽에서 금메달을 땄다는 데 있지 않다. 그건 '어려운 환경에서도 희망을 잃지 않고 훈련에 매진' 했던 박 선수의 노력와 의지를 높이 사는 것이다.

또한 박태환 선수의 은사인 전 교장은 금메달이 '한국인들의 합쳐진 마음의 결과' 라며 한국이라는 공동체적 의식에 커다란 가치를 부여하고 있다. 포이어바흐에게 있어 공동체를 향한 인간의 마음은 다름 아닌 사랑이다. 포이어바흐는 타인과 내가 하나 되고자 하는 충동을 사랑으로 보았는데, 이는 박태환 선수를 보며 온 국민이 '한국' 이라는 하나의 이름으로 뭉치고자 하는 마음과 같다. 따라서 제시문 〈다〉는 제시문 〈가〉의 포이어바흐와 같은 관점에서 인간의 가치를 이야기한다고 할 수 있다.

case 3

포이어바흐는 종교를 인간이 필요에 의해 만든 것이라고 생각한다. 인간은 현실 삶에서 이루지 못하는 소망을 실현해 줄 대상으로 신을 만들었다. 인간의 소망이나 꿈이 다양하듯, 이를 투영시킨 종교의 모습도 다양하다. 하지만 인간은 이제 이러한 사실을 정확히 깨달아 더 이상 허구적인 신에 매달리는 것이 아니라, 자신의 희망을 주체적으로 실현해 나가는 자세를 갖추어야 한다. 중요한 것은 인간이 만든 허상에 의존하는 것이 아니라 인간 중심의 교양과 문화를 만들어 가는 것이다. 바로 이러한 것이 제시문에서 말하고 있는 '인간의 것을 인간에게 주는 일' 이다. 이제는 신의 존재 여부에 대한 질문을 던지는 것이 아니라 인간 삶에서 정의를 실현하는 일이다.

Abitur

철학자가 들려주는 철학이야기 064

오캄이 들려주는 면도날 이야기

저자_**박민수**

1964년 서울에서 태어나 연세대학교 문과대학 독어독문학과를 졸업하고 같은 대학교 대학원에서 실러 미학에 관한 논문으로 석사학위를 받았다. 이후 독일에 유학하여 베를린 자유대학에서 독문학과 철학을 공부했으며 '바움가르텐, 람베르트, 칸트, 실러, 헤겔의 미학에서 미적 가상의 복안' 이란 주제로 박사학위를 받았다. 그 동안 우리말로 옮긴 책으로는 《우리의 포스트모던적 모던》, 《신의 독약 - 에덴 동산 이후의 중독과 도취의 문화사》, 《데리다-니체, 니체-데리다》, 《거짓말을 하면 얼굴이 빨개진다 - 윤리의 문제를 생각하는 철학 동화》, 《책벌레》, 《크라바트》 등이 있다.

배경 지식 넓히기

William of Ockham

오캄과 '면도날'

오캄 주요 개념

1. 오캄은 어느 시대에 살았을까?

중국 초(楚)나라에서 두 사람이 '뱀 그림 빨리 그리기' 경기를 하는데, 한 사람이 뱀을 먼저 다 그리자 남은 시간에 뱀의 다리를 그렸다. 그리고서 자기는 시간이 남아서 뱀의 다리까지 그렸다며 의기양양했다. 그러나 뱀에는 본래 다리가 없기 때문에 뱀을 그린 것이 아니라고 다른 사람이 주장하여, 결국 뱀의 다리를 그린 사람은 경기에서 졌다. 이와 같이 하지 않아도 될 일을 덧붙여서 도리어 일을 그르친 경우를 우리는 사족(蛇足)이라고 한다.

동양의 사족과 비슷한 개념으로 서양에는 오캄의 면도날이 있다. 우리에게 불필요한 것들은 베어 버리고 필요한 부분을 명확하고 단순하게 만들어야 한다는 주장이다. 뱀에게 불필요한 다리를 잘라내야지 진짜 뱀이 되듯이 진리에서 불필요한 것들을 잘라내야 한다는 의미이다. 이 오캄의 면도날은 영국의 수도사이자 중세 철학사의 뛰어난 논리 학자인 윌리엄 오캄(1285~1349)에 의해 나온 말이다. '면도날' 이란 용어는 윌리엄 오캄이 직접 사용한 것이 아니라 후세 제자와 여러 사람들이 오캄의 철학을 빗대어서 만든 말이다.

영국 런던 근교에서 태어난 오캄은 프란체스코 수도회에 들어가 공부하는 수도사가 되었다. 그러나 오캄은 그 당시 주류 신학을 비판하는 주장을 폈다는 이유로 '이단'으로 고발되었다. 그리고 교황청에 소환되어 3년 동안 오캄의 잘못한 행위에 대한 증거를 찾고, 조사를 받았지만 혐의는 밝혀지지 않았다. 문제는 주류 신학을 비판한 혐의가 아닌 다른 곳에서 일어났다. 오캄은 프란체스코 수도회 소속이었다. 프란체스코 수도회는 청빈한 삶, 즉 무소유를 강조하였다. 이 때문에 오캄은 교회 재산을 꿰차고 있던 교회 권력자들에게 미움을 받아 파문을 당하였다.

교황청의 고소를 받고 파문을 당하면서 오캄과 교회의 갈등은 더욱 깊어졌고, 오캄의 철학은 변하기 시작했다. 오캄은 이전에 논리학에 관심이 많았고 정치적 문제에는 관심이 별로 없었다. 그러나 계속해서 교회와 갈등, 타락하는 교회를 지켜보면서 정치적 성향을 띤 글을 쓰고, 교황주의를 비판하였다.

그렇다고 오캄이 논리학을 가만히 놔둔 것이 아니다. 중세 철학사에서 가장 뛰어난 논리학자라고 할 만큼 그는 논리학적 질서의 절대성을 주장한 사람이었다. 논리는 감정적인 이야기를 뜻하지 않는다. 사리분별을 똑바로 하고 이성적인 판단을 하여 이루어지는 일이다. 인간에게 있는 '이성'

의 법칙에 따라 사고하는 것이 논리이며, 그 '이성'은 신이 인간에게 준 것이다. 즉, 신의 은혜인 '이성'을 우리는 지켜야 하고, 이는 곧 종교에 대한 의무라고 생각하였다. 그리하여 논리학을 요약하는 것이 바로 '오캄의 면도날'이다. 오캄은 논리적이지 않은 것은 무의미한 것이기 때문에 '사유의 면도날'로 다 잘라 버려야 한다고 생각했다. 더 나아가 불필요한 가정이나 전제도 잘라내 버리고 몸통만 남겨 둬야 논리적 사고라고 보았다.

오캄의 면도날

1. 존재자의 수를 불필요하게 늘려서는 안 된다.
2. 불필요하게 다수가 설정되어서는 안 된다.
3. 소수를 가정하여 설명될 수 있는 것을 다수로 가정하여 설명하는 것은 헛된 일이다.

2. 실재론과 유명론의 불꽃 튀는 보편 논쟁, 오캄은 어느 편?

스콜라철학(scholasticism)은 중세 시대에 유행했던 대표적인 신학 이론이다. 스콜라철학의 대표적인 사상가로는 토마스 아퀴나스가 있다. '스콜라(schola)'는 학교 내지 학파라는 뜻으로, 영단어 school(학교)의 어원도 바로 'schola'이다.

스콜라철학은 크게 실재론과 유명론, 두 가지 입장이 있고 실재론 안에서도 플라톤 철학을 바탕으로 하는 실재론과 아리스토텔레스 철학을 바탕으로 하는 실재론, 두 가지로 나뉜다. 플라톤 철학에 근거한 실재론의 대표적 인물로 캔터베리 대주교였던 안셀름이 있고, 아리스토텔레스 철학에 근거한 실재론의 대표적 인물로는 토마스 아퀴나스가 있다. 그리고 우리가 이야기하고자 하는 오캄은 실재론을 비판하며 등장한 유명론의 대표적인 인물이다.

그렇다면 오캄은 왜 실재론적 입장을 거부하고 유명론을 주장했을까? 그것을 알기 위해서는 실재론자들이 어떻게 신을 증명했는지부터 알아둘 필요가 있다.

먼저 안셀름은 플라톤이 말한 이데아의 세계, 즉 보편자들의 세계가 실제로 있다고 믿었다. 그리하여 '더 이상 위대한 것이 있을 수 없는 최고로 위대한 존재' 를 신이라고 생각했다. 왜냐하면 신보다 더 위대한 것이 있다면 신은 더 이상 신이 아니게 된다. 신이란 개념 자체가 최고의 존재라는 것을 뜻하기 때문이다.

그렇다면 그것이 신이 현실적으로 존재한다는 증명이 될 수 있을까? 안셀름은 그렇다고 답한다. 왜냐하면 신이란 개념 즉, 최고로 위대한 존재라는 개념 안에는 이미 '실제로 존재한다' 는 의미가 내포되어 있기 때문이다. 실제로 존재하지 않는다면 그것을 생각할 수도 없고, 위대하다고 말할 수도 없는 것이다. 이것이 안셀름의 신 존재 증명이다.

한편 토마스 아퀴나스는 철학의 방법을 이용하여 신학의 논리적 체계를 완성하려 했던 인물이다. 그는 아리스토텔레스의 철학에 근거하여 신학의 토대를 세웠다. 그가 신을 증명하는 방법은 크게 세 가지이다.

첫째, 운동과 목적 개념을 통한 증명이다. 모든 존재는 스스로 움직이는 것이 아니라 다른 무언가에 의해 움직인다. 즉, 자신을 움직이게 하는 어떤 것 때문에 움직이게 된다는 것이다. 그래서 나를 움직이게 하는 것, 또 그것을 움직이게 했던 것, 이렇게 움직임의 원인을 계속 따라가 보면, 그 끝에는 '자기 자신은 움직이지 않으면서 다른 것을 움직이게 하는' 최초의 운동 원인이 있어야 한다.

그 최초의 원인은 마치 도미노의 첫 번째 블록을 넘어뜨리는 손가락과 같다. 자기 자신은 변하지 않으면서 세상 만물을 변화시키고, 도미노 전체가 쓰러져서 만든 그림처럼 자신의 커다란 목적을 실현해낸다. 이처럼 최종 목적을 향해 만물을 움직이게 하는 최초의 운동 원인이 바로 신이다.

둘째, 변화와 불변 개념을 통한 증명이다. 우리는 세상 만물이 늘 변화한다고 믿는다. 하지만 우리가 어떤 사람이나 사물을 보고 '변했다' 고 말할 때에는 그것이 변하지 않았을 때를 생각해 두고 있다. 이것은 곧 어딘가에 결코 변하지 않는 무엇인가가 있다는 걸 우리가 굳게 믿고 있음을 뜻한다. 말하자면, 절대적으로 변하지 않는 무언가가 있기 때문에 상대적으로 변해가는 것들이 있다고 말할 수 있는 것이다. 그 불변하는 절대자가 바로 신이다.

셋째, 완전의 단계를 통한 증명이다. 세상에는 한 종류의 선(善)만 있는 게 아니라 수많은 선이 존재한다. 그것을 단계별로 쭉 나열하면 맨 위에 가장 완전한 선이 나온다. 그것이 바로 신이다.

오캄은 안셀름과 토마스 아퀴나스의 실재론을 부정하며, 보편성이란 단지 이름일 뿐이고 실재하지 않는다고 주장하였다. 보편 개념은 사실 인간의 편의를 위해 만들어진 것이며, 사실은 모든 만물이 제각기 다른 존재들이라는 것이다. 따라서 '보편자'라는 것은 허구의 개념이다. 즉, 오캄은 보편자를 부정하고 있는 것인데 그렇다면 오캄이 생각하는 신이란 어떤 존재일까? 아니, 오캄은 진정 신이 있다고 믿었을까?

오캄은 이성과 신앙을 분리하여 생각해야 한다고 주장한다. 신은 논리적으로 증명할 수 없으며 단지 믿음의 문제일 뿐이다. 신은 무한한 절대자이므로 유한성을 가진 인간이 이해할 수 있는 영역을 초월해 있다. 따라서 인간이 사용하는 이성의 잣대를 가지고 판단하는 것 자체가 불가능한 일이며, 단지 신앙으로써 믿는 방법밖에 없는 존재이다.

우리가 신을 이해할 수 있는 부분은 신에게 있어서 극히 일부분에 지나지 않는다. 자연 질서와 같은 것이 그러한 부분이다. 따라서 신학은 철학의 도움을 받아가며 이성적이고 논리적인 체계를 세우려 하지 말고, 성경을 통한 계시에 기초해야 한다. 또한 우리가 교리를 받아들일 때 그것이 합리적이기 때문이 아니라 신의 계시이기 때문에 받아들인다는 마음을 가져야 한다. 이것이 바로 오캄이 실재론자들을 비판하며 내세웠던 유명론적 입장이다.

스콜라? 스쿨? 왜 교회를 학교라고 하지?

학교는 교회처럼 아무 의심 없이 신을 믿는 곳이 아니라, 논리적이고 검증된 학문적 지식을 탐구함으로써 검증된 사실만을 행하는 곳이다. 교회를 중심으로 하는 교부철학은 성경을 통한 하나님의 계시를 강조하였다. 그 대표적인 인물이 아우구스티누스이다.

하지만 교부철학의 시대가 가고 스콜라철학의 시대가 오면서 신앙인들은 학문적 지식을 추구하는 이성을 통해 신을 발견하려 하였다. 스콜라철학은 교회가 아닌 학교를 중심으로 하는 신학이다. 이들은 학교에서 학문을 탐구하듯 자연 질서를 탐구하면서 신앙과 이성의 조화를 통해 신을 증명하려 하였다.

3. 교과서에서 만난 오캄

오캄은 중세 스콜라철학에서 지배적인 사상의 흐름이었던 신학과 철학의 결합을 해체한 철학자였다. 여러 논쟁을 통해 스콜라철학에 대한 공격을 감행해 '무적의 인물' 이란 별칭을 얻기까지 했다.

오캄의 유명론을 이해하기 위해서는 우선 스콜라철학에 대해 알아볼 필요가 있다. 오캄의 사상은 바로 스콜라철학에 대한 문제 제기이며 대안 제시이기도 하기 때문이다. 스콜라철학에 대해 고등학교 교과서《윤리와 사상》은 다음과 같이 설명하고 있다.

그리스도교가 다른 종교들에 맞서 세계 종교가 되기 위해서는 그 교리를 체계화할 필요가 있었는데, 이는 그리스 철학을 통하여 이루어졌다. 초대 교회에서 그리스도교의 교리를 확립하기 위해 힘쓴 사람을 '교부 철학자'라고 부르는데, 그 대표적인 인물은 아우구스티누스이다. 아우구스티누스는 처음에 플라톤주의적 관점에서 성서를 이해하고자 하였다. 그러나 그는 점차 플라톤의 가르침을 넘어서는 진리가 있음을 깨닫게 되었다. 그것은 인간을 향한 신의 끝없는 사랑과 은총이었다. 따라서, 그에게 신은 이성적 인식의 대상이 아니라, 실존을 통해 만나야 할 인격적 존재로 여겨졌다. 그는 유한한 인간이 참된 행복을 찾는 것은 영원하고 완전한 존재인 신과 하나가 될 때 가능하다고 보았다. 즉, 인간은 불완전하기 때문에 자기 혼자서는 참된 선을 실현할 수도, 완전한 행복에 이를 수도 없지만, 오직 신앙을 통해 절대자에게 귀의함으로써 그것이 가능해진다는 것이다.

중세 후반기에는 신학과 철학, 신앙과 이성, 자연과 인간을 조화시킴으로써 그리스도교의 교리를 철학적으로 논증하고 합리적으로 설명하고자 한 스콜라철학이 등장하였는데, 그 대표적 인물은 토마스 아퀴나스이다.

토마스 아퀴나스는 처음에 아리스토텔레스의 철학을 받아들여 그의 신학 사상을 전개하였으나, 거기에 머물지 않고 종교적 차원으로 한 단계 더 나아갔다. 그가 보기에 아리스토텔레스의 사상에서 모든 존재가 추구하는 덕은 도덕적 덕이며, 행복은 일시적 행복에 불과하다. 그러나 인간은 여기에 만족할 수 없고 이를 넘어서 종교적 덕과 영원한 행복을 추구하도록 운명지어져 있다. 그리고 이것은 이성만으로 구해질 수 있는 것이 아니라 오직 신의 은총에 의해서만 가능한 것이며, 믿음, 소망, 사랑이라는 종교적 덕을 실천함으로써 얻게 되는 것이다.

이러한 스콜라철학을 공격한 오캄의 유명론은 수백 년 동안 유지된 신학과 철학, 신앙과 지식의 연대를 실제로 끊어버렸다. 두 영역은 이제 서로 독립하게 된 것이다. 바로 이것이 오캄의 행동이 낳은 중대한 결과이며, 그 영향은 오늘날까지 지속되고 있다. 지식과 신앙, 다시 말해 철학 및 학문과 종교 및 신학이 이때부터 서로 분리된 궤도로 전진한다. 지식과 신앙은 각자 고유한 법칙에 따라 발전하며 서로를 염두에 두지 않는다. 신앙과 지식 사이의 대화는 오랜 시간에 걸쳐 거의 전무하다. 이러한 분화가 우리의 전체 근현대 문화를 관통하고 있다.

이런 사실이 철학에 대해 그리고 철학에서 점차 독립하는 과학에 대해 뜻하는 것은 다음과 같은 것이다. 철학과 과학은 신학의 시녀 역할을 하던 스콜라철학의 권역을 벗어나 점점 더 자신들의 근원인 직접적인 외적 경험으로 돌아가며, 그 결과 지난 수백 년의 정신사를 채우고 있는 수많은 획기적 발전을 이룩한다. 종교 영역에서 위와 같은 사실이 뜻하는 것은 이제 신앙의 초이성적 내용이 철학이나 합리적 신학에 구애받지 않고 직접적으로 발언될 수 있게 되었다는 것이다.

스콜라철학을 비판한 오캄

신학과 세속적 학문을 분리한 오캄은 교회 정책에 대해서도 비판의 목소리를 높였다. 오캄은 교회의 세속화, 특히 교황 보니파키우스 8세의 세속적 권력정치를 가차 없이 공격했다. 〈성직자와 군인의 논쟁〉이라는 글에서 오캄은 예수와 사도들을 예로 들면서 현세를 거부하고 교회의 과제를 종교 영역에 국한할 것을 요구했다. 이는 그가 속한 프란체스코 수도회의 엄격한 규칙에도 부합하는 주장이었다. 《황제와 교황의 권력에 관해서》라는 논저에서 오캄은 세속에 대한 교회의 권력 행사를 비판했는데, 여기서 그의 논거 중 일부는 계몽주의에서 규정적 의미를 획득한 인간 기본권의 혁명적 교설을 상기시킨다. "교황은 그 어떤 인간적 존재에게서도 자연권을 앗아 갈 권한이 없다." 불가침의 자연권에는 무엇보다 '예수 출현 이전에 인간이 누렸던' 권리들이 속한다. "이런 권리를 교황의 명령으로 그리스도교도에게서 빼앗거나 유보한다면, 이는 그리스도교도의 자유를 이교도나 무신론자의 자유보다도 축소시키는 것이다."

이런 언행으로 인해 오캄은 당시 아비뇽에 거주하던 교황에 의해 감금되었다. 그러나 오캄은 아비뇽을 탈출해 뮌헨으로 도주했으며 교황과 알력을 빚고 있던 바이에른 황제 루트비히의 보호를 받게 되었다. 당시 그가 황제에게 했다는 말은 오늘날까지도 유명하다. "당신이 나를 칼로 지켜 준다면, 나는 당신을 펜으로 지켜 주겠소." 오캄은 1349년 뮌헨에서 세상을 떠났다. 1339년 파리 대학에서는 윌리엄 오캄의 학설을 가르치는 것이 금지되었다. 하지만 유명론은 이미 지배적 사상이 되고 있었다. 1473년 파리 대학의 전체 교사에게 - 오캄에 반하여 - 실재론을 따를 것을 규정했던 칙령이 불과 몇 년 만에 폐지된 것도 그러한 사실을 반증한다.

— 한스 요아힘 슈퇴리히, 《세계 철학사》 중에서

실전 논술

논술 문제

case 1 제시문 〈가〉에서 설명하고 있는 오캄의 면도날을 간단히 요약하고 제시문 〈나〉에서 말하는 단순성과 비교하여 설명해 보시오.

가 "인류의 과학사에 가장 큰 전환을 가져온 사건이 천동설과 지동설이잖아. 그걸 발견한 코페르니쿠스의 연구가 오캄의 면도날 이론을 적용한 사례라는 거야. 지구에서 하늘의 해와 달, 그리고 별들을 바라보면 마치 지구는 가만히 있고 나머지 것들이 움직이는 것 같잖아. 그러니 처음에는 당연히 지구를 우주의 중심에 있다고 생각했는데 다른 행성들이 불규칙적으로 움직이는 거야. 그래서 여러 개의 선을 그어서 설명했는데 그게 바로 천동설이었어. 그런데 지구와 인간이 우주의 중심이 아니라고 가정하면 너무나 간단하게 모든 우주의 운행이 명확하게 설명된다는 거지. 종교적인 이유 때문에 천동설을 주장하니까 우주의 법칙을 올바르게 볼 수 없었잖아. 그걸 180도 인식의 변화를 갖도록 한 것이 오캄의 이론이라는 거야. 오캄은 우주가 어떻게 생겼는가가 중요하지 않고 보다 더 간단한 설명이 참이라고 여겼어. 오캄이라는 학자, 흥미 있지 않니?"

또 시작입니다. 대호는 무슨 책을 읽을 때마다 거기에 푹 빠져서 나한테도 그걸 알려 주고 싶어 하는데 저는 당연히 '노 땡큐' 지요.

"단순성의 원리라…… 이거 봐봐. 오캄은 진리에 가깝기 위해서는 간단하고 단순한 원리여야 된다고 했거든 내가 생각하던 것도 그거였는데, 오캄이랑 아무래도 통하는 면이 있는 것 같아. 면도날 이론…… 흠, 더 알아봐야겠어."

—《오캄이 들려주는 면도날 이야기》중에서

나 10년 동안 갈비탕 한 메뉴만 고집하여 팔고 있는 ○○식당에는 광우병 파동을 일으키고 있는 현재에도 갈비탕 한 그릇을 먹기 위해 많은 사람들이 줄서서 기다리고 있다. ○○식당이 갈비탕 업계에서 성공한 원인은 무엇일까?

○○식당은 복잡한 것을 모두 버렸다. 중국산 깡통 갈비가 판쳤을 때에도 순수 한우 갈비탕만을 고집하였고, 다양한 메뉴를 개발하거나 프랜차이즈를 내지 않고 단순하고 명확한 그들만의 식당 운영 철학을 지켜왔다.

승자들은 무엇이든 단순성을 유지한다. 단순한 목표를 설정하고 단순한 시스템을 만들고, 단순하게 말한다. 명확한 목표와 함께 모든 것을 단순화한다. 단순은 간단한 일이 아니다. 오히려 사람들은 단순해지거나 단순하게 보일까봐 걱정한다. 그래서 복잡한 절차를 치르고 복잡한 생각을 하는 것처럼 보이게 만든다.

최근 외식 창업 시장이 인기를 끌고 있다. 그러나 많은 외식업이 살았다가 죽었다가를 반복한다. 앞을 내다 볼 수 없지만 그중에서도 돋보이는 길이 있다. 바로 단순성이다. ○○ 아이스크림 카페, 세계맥주전문점 ○○, ○○ 왕족발, ○○죽 등이 대표적이다.

복잡하게 풀면 어려워진다. 오히려 복잡하게 꼬인다. 복잡하게 해결하려 하지 말고 단순성을 찾아 목표와 계획을 명확하게 잡고 시작하면 창업 성공의 길은 열려있다.

— ○○신문, 2008년 6월 17일자 기사

생각 쓰기

생각 쓰기

case 2 **제시문 〈가〉에서 이야기하는 오캄의 면도날의 원리에 따라 제시문 〈나〉의 여성, 제시문 〈다〉의 김 군의 문제점을 분석하고 해결 방안을 제시해 보시오.**

가 "그래. 꼭 필요한 것들만 남겨야겠지. 중세에도 그랬지만 지금도 필요하지 않은 일들이 많은 것 같아. 인터넷을 사용하는 것만 해도 그래. 인터넷 조금만 봐야지 하다 보면 몇 시간이 금세 가 버리잖아. 뭘 했는지도 모르게 별로 얻는 것도 없이 말이야. 이런 것도 오캄의 면도날로 싹둑! 해야 한다니까.

그런 현상이 생기는 이유는 우리가 다양한 정보 매체를 사용하고 있을 때 정보 간섭에 끊임없이 노출되기 때문이래. 우리가 도구의 노예가 되지 않고, 도구의 주인이 되기 위해서는 정보를 완전하게 통제할 수 있어야 해. 그러니까 오캄의 면도날로 '나에게 중요한 것인가?' '급한 것인가?' '내가 해야 하는가?'의 순서대로 정보를 판단해야 해. 그 과정에서 필요 없는 것은 오캄의 면도날로 싹둑! 잘라 버려야 해."

—《오캄이 들려주는 면도날 이야기》 중에서

나 다음은 22살 여성 직장인이 한 상담 기관의 게시판에 올린 글의 일부이다. 이 여성은 다음과 같이 자신의 처지를 전하며 도움을 호소했다.

"전 인터넷과 사랑에 빠진 것 같아요. 인터넷에 접속한다는 것만으로도 기분이 좋아지고 컴퓨터 없이는 단 하루도 살 수 없습니다. 그건 상상할 수도 없어요. 고등학교에 올라와서 PC를 배운 뒤로 인터넷에 푹 빠졌어요. 사람들과 직접 만나는 것보다 인터넷이 훨씬 좋았죠. 이제 성인이 되어 직장 생활을 하면서 열심히 살아야지 했는데 그게 안 돼요. 일을 할 때에도 인터넷만 눈앞에 아른거려요. 사실 인터넷으로 딱히 하는 것도 없어요. 그냥 접속해 있기만 하면 되거든요. 아무리 화가 나고 짜증이 나도 인터넷만 하면 바로 기분이 좋아져요. 어떨 땐 헷갈리기도 해요. 내가 지금 현실 세계에서 사는 건지, 아니면 가상 세계에서 사는 것인지. 어떻게 해야 할지 모르겠네요."

— ㅇㅇ신문, 2001년 12월 19일자 중에서

다 고3인 김 모 군은 자료 수집증에서 헤어나지 못한다. 하루의 대부분을 컴퓨터 앞에서 사는 김 군은 자신이 한심하다고 생각하면서도 인터넷 활동을 자제할 수가 없다고 고백했다.

"저 이제 졸업반이거든요. 취업도 관심 없고 학교도 안 가요. 정말 중요한 시기인데……. 지난 4월 초고속 인터넷을 설치한 뒤로 매일 PC를 떠나지 못하고 음악 파일을 다운받고 있어요. 제가 듣고 싶은 노래가 이미 다 있기 때문에 이제 그만 두어도 되는데, 어느새 새로운 자료를 찾아 다운받고 있는 저를 보게 되죠. 만날 집구석에서 '어디서 어떤 자료를 받아 누구랑 교환할까' 하는 생각만 합니다. 이제는 제대로 된 생활을 하고 싶어요. 하지만 뜻대로 되지가 않아요."

— ㅇㅇ신문, 2001년 12월 19일자 중에서

생각 쓰기

생각 쓰기

case 3 다음의 제시문을 읽고, 오캄이 스콜라철학에 대해 비판한 내용을 설명하시오.

교회가 유명론을 그토록 극심하게 탄압한 데에는 좀 더 근본적인 이유가 있었다. 즉 교회는 유명론의 입장이 수미일관하게 전개될 경우 그리스도교 신앙 자체는 아닐지라도 최소한 이 신앙과 고대 철학의 독특한 융합, 즉 스콜라철학을 근본부터 동요시킬 것이라는 점을 의식적이든 무의식적이든 감지했던 것이다. 스콜라철학은 직접적인 자연 관찰을 거부하고 지식 가치가 있는 모든 것을 이미 승인된 권위로부터 도출하는 방법을 사용했다. 이런 방법의 전제가 된 것은, 보편적 교의나 교리에는 이미 모든 개별적인 것들이 포함되어 있으며 이런 것들이 그저 진술되거나 도출되면 그만이라는 확신이었다. 이런 방법이 의미를 갖는 것은 스콜라철학의 실재론자들처럼 보편자가 더 근원적이고 더 실재적이며 모든 개별자는 보편자 안에 완벽하게 포함되어 있다는 가정을 받아들일 때뿐이다.

윌리엄 오캄은 이 관계를 역전시킨다. '실재론적' 입장의 스콜라철학자들은 보편자를 기점으로 삼아 이로부터 개별성을 도출하려 하는데, 오캄에 따르면 이는 본말이 전도된 것이다. 그럴 것이 개별자는 그 자체로 현실적이며 또 개별자만이 유일하게 현실적이기 때문이다. 그에 비해 보편자는 설명을 필요로 하는 무엇이다. 오캄은 자신의 방대하고 읽기가 쉽지 않은 여러 저술에서 이 보편자에 관해 논하고 있다. 이 자리에서 우리는 그에 관한 몇 가지 주요 사상만 소개하겠다. 오캄은 논리학을 기호의 학문이라고 정의한다. 그런데 실재론자들이 그토록 높은 가치를 부여하는 일반개념 내지 보편자도 따지고 보면 한갓 기호에 불과하다. 이것들에는 현실적인 것이 전혀 상응하지 않는다. 신의 정신 속에서 조차도 '사물에 앞서는 일반개념' 이란 존재하지 않는다. 이 주장과 관련해서 오캄은 다음과 같은 신학적 논증을 편다. 신의 창조가 무로부터 이뤄졌다는 교의는 견지될 수 없다. 왜냐하면 그것이 사실일 경우 사물들이 존재하기도 전에 일반개념이 있어야 했기 때문이다. - 추상적인 '어디' 나 '언제' 라는 것은 있을 수 없고, 구체적인 어디와 언제가 있을 뿐이다. 또한 그때그때 구체적인 어떻게나 얼마만큼이 있는 것이지 독립적 존재자로서의 질과 양이 있는 것이 아니다. 그리고 현실에서는 서로 관계된 사물들이 있을 뿐, 독립적 존재자로서의 '관계' 라는 것은 없다. '관계' 라는 것은 우리 머릿속에서만 존재한다. 또한 많은 사물이 있을 뿐 '다수성' 이란 것은 없다. 서로 관계된 사물들 외에 '관계' 를 가정하거나 많은 사물들 외에 '다수성' 을 가정하는 것은 불필요한 배가 혹은 복수화이며, 이는 모든 논리학과 학문의 원칙, 즉 하나에 의해 설명될 수 있는 곳에서 다수를 가정하지 말라는 원칙에 모순된다. '(설명을 위해) 필요한 것 이상의 다수(의 가정, 논거, 실체)를 끌어들이지 말라' 라는 이 원리는 '오캄의 면도날(Ockham' s razor)이라는 명칭으로 학문 및 철학 방법론에 등재되었다.

(……)

오캄의 유명론은 그리스도교 교의에 적용될 경우 교의 자체를 흔들어 놓을 수도 있었다. 이런 위험을 피하기 위해 오캄은 신앙의 몇 가지 불가사의만을 이성적 이해 가능성의 영역에서 분리시킨 것이 아니라 전체 신학을 이 영역에서 분리시켰다. 오캄에 따르면, 삼위일체나 그리스도 육화 등의 교의는 초이성적일 뿐 아니라 반이성적이며 그 자체로 받아들여 져야 한다. 또한 신의 존재나 일정한 속성은 이성적으로 증명될 수 없다. 모든 지식의 토대는 개별자에서 출발하는 경험이지만 인간은 신에 관해 이런 식의 경험을 할 수 없으므로 신에 대한 본래적이고 자연적인 지식을 획득할 수 없다. 이것이 뜻하는 것은 무엇보다도, 정확한 논증 등을 구사하는 학문으로서의 신학이 불가능하다는 것이다.

— 한스 요아힘 슈퇴리히, 《세계 철학사》 중에서

생각 쓰기

생각 쓰기

실전 논술

예시 답안

case 1

오캄은 문제를 해결하는 데 있어 복잡한 과정이 아닌 단순한 과정이 정답이라고 하였다. 진리는 복잡한 것이 아니라 단순한 것이며, 쓸데없이 복잡한 절차를 비판한다. 제시문 〈나〉에서 소개하고 있는 ○○식당은 갈비탕 한 가지 메뉴만으로 영업해 왔으며 불황 속에서도 초심을 잃지 않고, 손님들을 끌어 모으고 있다. 요즘은 퓨전 술집, 퓨전 식당, 한식, 양식, 중식을 모두 파는 가게들도 많다. 복잡한 메뉴와 주문 절차, 복잡한 음식 서비스 때문에 고객들이 불편한 경우가 더러 생길 수도 있다. 오캄의 말대로 진리는 단순하게 찾아야 하며 불필요한 것들은 과감하게 잘라내 버려야 한다. 식당을 잘 운영하기 위한 진리에도 오캄의 면도날이 통한다. 식당에서 고객들에게 불필요한 가지들은 잘라내 버려야 한다. 음식을 먹기 위해 오는 곳인만큼 맛과 정성으로 승부를 걸고, 단순한 메뉴를 깊이 있게 살려 고객들에게 단순성이 곧 전통성과 전문성을 가지고 있음을 알려야 한다.

case 2

제시문 〈나〉와 〈다〉는 모두 인터넷 중독 증세로 인해 고통 받는 이들의 사례이다. 〈가〉에서는 인터넷 중독의 원인이 정보 매체라는 도구의 주인이 되지 못하고 노예가 되어 버리기 때문이라고 말한다. 그리고 인터넷 중독을 극복하기 위해선 ① 나에게 중요한 것인가 ② 급한 것인가 ③ 내가 해야 하는가를 기준으로 정보를 판단하고 거기에 해당되지 않는 것은 과감하게 잘라 내어 버려야 한다고 이야기하고 있다.

제시문 〈가〉의 기준을 〈나〉의 여성에게 대입시켜 보자. 제시문 〈나〉의 여성에게 인터넷이 중요할까? 답은 그렇다. 그 여성은 인터넷을 해야 마음이 안정되기 때문이다. 그렇다면 〈나〉의 여성에게 인터넷이 급한 것일까? 그렇지 않다. 이 여성은 인터넷으로 급하게 처리해야 하는 일이나 구해야 하는 정보가 있는 게 아니다. 즉 인터넷을 통해 해야 할 일이 있는 것이 아니라, 그저 켜 두면 기분이 좋아지는 것뿐이다. 따라서 〈나〉의 여성이 반드시 인터넷을 해야 할 이유도 없다. 따라서 〈나〉의 여성은 인터넷이 아닌 다른 활동을 통해 마음의 안정을 찾는 것이 인터넷 중독 증상을 극복해 내는 방법이 될 수 있을 것이다.

〈다〉의 김 군은 자료 수집증이라는 독특한 인터넷 중독 증세에 빠져 있다. 그에게 인터넷은 중요한 것일까? 그렇다. 인터넷을 통해 자신이 필요한 자료를 구할 수 있기 때문이다. 따라서 〈나〉의 여성보다는 비교적 인터넷을 주체적으로 사용하고 있다고 할 수 있다. 하지만 두 번째 기준에서 역시 불확실해진다. 김 군에게 인터넷은 급한 것일까? 이는 반반이다. 김 군은 인터넷을 통해 급하게 필요한 자료를 찾을 수도 있다. 하지만 김 군은 당장 급하지 않거나 자신에게 전혀 필요 없는 자료까지 무한정 찾아 나선다. 이는 〈가〉에서 말하는 '정보 간섭' 을 뿌리치지 못하고 거기에 휘둘리는 것이다. 따라서 김 군은 자신이 몰라도 되는 정보까지 마구잡이로 수집하는 즉, 수집 활동을 자제하지 못하는 자료 수집증을 보인다.

김 군이 인터넷 중독에서 벗어나기 위해선 어떻게 해야 할까? 정보의 바다인 인터넷보다 도서관에서 필요한 지식을 찾는 활동을 해 보는 것이 한 방법이 될 수 있다. 인터넷은 늘 하나의 정보를 볼 때 다른 정보의 간섭을 받지만, 책을 볼 땐 자신이 원하는 지식에만 집중할 수 있기 때문이다.

인터넷이 아니라도 무언가에 중독된다면 그것에서 빠져나오기란 쉽지 않다. 따라서 무작정 안 하려고 하거나 멀리하는 것보다는 그와 비슷한 대안을 마련하여 조금씩 자제하는 즉, 조금씩 면도날로 잘라 내어 버리는 습관을 들이는 것이 가장 중요하다.

case 3 스콜라철학은 신앙을 우선으로 내세우며 직접적이고 현실적인 지식을 거부했다. 스콜라철학은 객관적 인식보다 기독교 교리에 더 큰 가치를 부여한 것이다. 오캄은 이를 인정하지 않았다. 오캄은 사물에 앞서는 일반개념의 존재를 부인했다. 따라서 신의 창조가 무로부터 이뤄졌다는 기독교의 핵심 교리도 인정할 수 없었다. 오캄은 신이 무에서 천지창조를 했다는 것이 사실이라면 사물들이 존재하기도 전에 그 바탕이 되는 보편적인 개념이 있어야 했다는 점을 이유로 들고 있다. '필요한 것 이상의 다수를 끌어들이지 말라' 라는 주장으로 요약될 수 있는 면도날 원리의 출발점은 바로 이러한 이유에서 유래한다. 오캄의 이러한 주장은 그리스도교 교리 자체를 흔들어 놓는 충격을 주었다. 모든 지식의 토대는 현실적으로 입증될 수 있는 경험에서 출발되어야 하며 이성적인 범위를 넘어서는 것은 믿음의 대상이지 학문의 연구 대상은 될 수 없다. 이러한 주장이 뜻하는 것은 무엇보다도 정확한 논증 등을 구사하는 학문으로서의 신학이 불가능하다는 것이다.

Abitur

철학자가 들려주는 철학이야기 065

피터 싱어가 들려주는 동물 해방 이야기

저자_**박현정**
전남대학교 국어국문학과를 졸업하고, 조선대학교 대학원에서 국어교육학을 전공했다. 현재는 일산 대화중학교에서 교사로 재직하고 있으며 《중학 교과서 속 논술》, 《아비투어 철학논술 신채호 초급, 중급, 고급》, 《아비투어 철학논술 박지원 초급, 중급, 고급》을 썼다.

배경 지식 넓히기

Peter Singer

피터 싱어와 '동물 해방'

피터 싱어 '동물 해방'

1. 피터 싱어를 만나다

1) 피터 싱어의 생애

피터 싱어(Peter Singer, 1946~)는 《동물 해방》이라는 책으로 잘 알려져 있는 호주의 생명윤리학자입니다. 현대 실천윤리학의 거장으로 불릴 만큼 피터 싱어의 철학은 세간의 이목을 집중시키고 우리 사회의 진보와 발전에 큰 영향을 끼치고 있습니다. 2005년, 미국 타임지가 선정하는 '세계를 움직이는 100인'의 한 사람으로 선정되기도 하였다는 사실은 우리 사회에 미치는 그의 영향력을 단적으로 보여 주는 예가 됩니다. 2007년에는 우리나라에 와서 강연도 한 바 있는 친근한 학자입니다.

그가 세상의 주목을 받는 이유는 무엇일까요? 그의 대표 저서 제목에서도 알 수 있듯이, 그가 주장하는 것은 한 마디로 동물의 해방입니다. 동물의 해방이라면 무엇으로부터의 해방일까요? 그것은 인간의 이기심과 탐욕에서 비롯된 동물에 대한 차별과 학대로부터의 해방입니다. 즉, 인간으로부터의 해방을 의미합니다.

피터 싱어 철학의 시작은 인간과 동물의 지위에 대한 물음으로부터 출발합니다. 그동안 세계는 서양 철학의 근간이 된 기독교 사상을 바탕으로 인간 생명의 신성성을 주장해 왔습니다. 그런데 피터 싱어는 과거 인간 생명의 신성성에 국한되어 있던 논리를 보다 더 확대하였습니다. 피터 싱어는 쾌락과 고통을 느낄 수 있는 모든 존재의 '삶의 질' 확보를 자신의 논리 전개 기준으로 삼았습니다. 그래서 인간과 동물의 지위가 동등하다는 논리로 나아가게 됩니다.

2) 종차별주의의 극복

과거 우리 사회에는 다양한 차별이 존재했습니다. 서로 다른 인종에 대한 차별, 또는 남녀에 대한 성 차별 등이 그 대표적인 예라고 할 수 있겠지요. 이런 차별들은 현대 사회에 들어서면서 많이 사라졌습니다. 그 자리에 인간의 생명은 존엄하고 모두 평등하다는 인식이 자리 잡고 있습니다.

그렇다면 동물에 대한 인간의 차별은 어떻게 설명할 수 있을까요? 이제까지 동물에 대한 인간의 차별은 당연시 여겨졌습니다. 그래서 인간은 자기 마음대로 동물을 부리고, 이용하고, 심지어 사육하여 잡아먹기까지 합니다. 이에 대해 피터 싱어는 동물이 단지 인간과 종(種)이 다르다는 이유만으로 차별을 당하는 것은 매우 부당하다고 말합니다. 이것을 종차별주의라고 합니다. 사람들은 일반적으로 이야기합니다. 개와 사람은 다르다고.

하지만 그 근거가 무엇일까요? 개와 사람이 다르다는 것은 단지 종이 다를 뿐이라는 것이죠.

기본적으로 피터 싱어는 윤리적 판단이란 보편적인 것이어야 한다고 주장합니다. 어떤 사람이 하나의 행위를 선택할 경우에는 그 행위에 의해 영향을 받는 모든 사람들의 쾌락(바라는 것을 이루는 것=이익)을 증진시키고 고통을 감소시키는 행위를 선택할 것을 요구합니다. 이것이 이른바 이익평등고려의 원칙입니다. 그런데 피터 싱어는 이익을 갖는 모든 존재에게 이 원칙이 똑같이 적용되어야 한다고 주장합니다. 여기에서 이익을 갖는 모든 존재란 쾌락과 고통을 느낄 수 있는 존재를 모두 포함합니다. 인간은 모두 쾌락과 고통을 느낄 수 있습니다. 그런데 동물도 인간과 마찬가지로 쾌락과 고통을 느낄 수 있는 존재입니다. 그렇기 때문에 앞서 말한 이익평등고려 원칙에 따라 동물의 이익도 인간의 이익과 마찬가지로 고려되어야 한다는 것이죠. 그렇게 되면 인간이 동물을 마음대로 가두거나 잡아먹어서는 안 됩니다. 왜냐하면 인간의 이익을 추구하기 위해서 동물의 이익을 침해한다면 그것은 이익평등고려의 원칙에 어긋나기 때문입니다.

피터 싱어는 이익평등고려의 원칙을 모든 인간뿐만 아니라 동물에게까지 확대하여 인간이 자신의 이익을 위해서 동물의 이익을 마음대로 침해해서는 안 된다고 주장합니다. 그것이 피터 싱어가 말하는 종차별주의의 극복입니다.

3) 동물 해방, 죽음의 밥상

1975년 피터 싱어는 《동물 해방》이라는 책을 내놓았습니다. 옥스퍼드 대학원생 시절, 한 채식주의자 친구로부터 동물이 처한 상황과 동물을 먹지 말아야 하는 이유를 듣고 큰 깨달음을 얻은 피터 싱어는 그 때부터 동물의 도덕적 권리 회복을 위해 연구에 몰두했고 그 결과가 바로 이 《동물 해방》이라는 책입니다.

이 책에는 인간의 욕심을 채우고 배를 불리기 위해 동물을 어떻게 가두고 사육하고 있는지에 대한 충격적인 사실들이 들어있습니다. 생산 비용을 절감하기 위해 비좁은 공간이 많은 동물들을 사육하는 것은, 쾌락과 고통을 느끼는 정도가 인간과 똑같은 동물들에게는 마치 우리가 비좁은 독방에 갇혀 옴짝달싹할 수 없는 상황에서 느끼는 스트레스와 똑같은 것입니다. 그렇게 사육된 동물들은 모두 자동절단기에서 최후를 맞이하게 되는 것이죠. 생각하기도 끔찍한 일이지만 만약에 인간에게 이런 일이 자행된다면 어떨까요? 상상하기조차 힘든 일입니다. 피터 싱어는 바로 그 점을 지적하고 있습니다. 인간에게 불가능한 일은 동물에게도 똑같이 불가능하다는 것입니다.

'죽음의 밥상' 의 원 제목은 'The ethics of what we eat(우리가 먹는 것에 관한 윤리학)' 입니다. 육식과 패스트푸드를 즐기는 전형적인 가정과 양심적인 잡종주의 가정, 완전한 채식주의 가정의 생활과 그들의 식단과 식탁을 비교해서 보여 주면서 육식에 대한 윤리적이고 환경적인 문제들에 대해 논의를 펼칩니다. 피터 싱어는 이 책을 통해 육식 위주의 식생활 습관을 비판하면서 동물 해방의 길은 채식에서부터 시작된다고 주장합니다.

4) 동물 해방의 첫걸음, 채식주의

중학교 1학년 국어 교과서에는 〈먹어서 죽는다〉라는 법정 스님의 수필이 실려 있습니다. 전통적으로 채식 위주의 식습관을 지녔던 우리 민족은 산업화, 도시화되어 가는 과정에서 육식 위주의 식생활 습관을 갖게 되었습니다. 하지만 육식 위주의 식습관은 여러 가지 폐해를 낳고 있습니다. 법정 스님은 제러미 리프킨의 《쇠고기를 넘어서》라는 책을 인용해서 설명합니다.

우선 인간은 육식을 많이 하게 되면서 오히려 각종 질병에 걸려 건강과 생명에 위협을 받고 있습니다. 그리고 고기를 많이 생산하기 위해 소가 본래 먹어야 하는 풀을 주는 대신 사료를 먹임으로써 인류의 식량 자원을 낭비하게 됩니다. 지구 한 쪽에서는 먹을 것이 없어 굶어 죽는 사람들이 아직도 존재하고 있는데도 말이죠. 게다가 일부에서는 고기의 생산량을 늘리기 위해 동물들에게 항생제를 주사하고 성장 촉진제를 투여하는 등의 동물 학대 행위를 서슴지 않고 자행하고 있습니다. 그것은 결국 생태계의 혼란과 파괴에까지 나아가는 무서운 결과를 초래할지도 모릅니다. 이러한 이유들을 통해 현대인의 육식 위주 식생활 습관을 지적하고 채식 위주의 식생활 습관으로 돌아갈 것을 권유하고 있습니다.

위와 같은 생각은 우리가 지금 이야기하고 있는 피터 싱어의 철학에서도 그 공통점을 발견할 수 있습니다. 피터 싱어는 동물과 인간이 동등한 입장에서 살아가야 한다고 주장합니다.

> "고기를 찾는 사람이 줄어든다면, 고기값이 낮아질 것이고 가격이 낮아지면 고기를 만드는 사람들의 이익 또한 낮아질 거야. 이익이 낮아지면 낮아질수록 공장식 영농 사업의 이윤은 줄어들게 되고, 그렇게 되면 공장식 영농 사업은 결국 문을 닫게 될 거야. 결국 극심한 고통 속에서 사육되고 도축되는 동물들의 수는 줄어들겠지. 또 다르게 생각할 때 채식을 한다는 것은 동물 해방을 외치며 피켓을 들고 시위를 하는 것보다 공장식 영농을 사라지게 하는 훨씬 더 강력한 불매운동이라고 할 수 있어."
>
> —《피터 싱어가 들려주는 동물 해방 이야기》 중에서

피터 싱어에 따르면 채식은 동물 해방 운동의 첫걸음입니다. 우리가 건강을 유지하고 생명을 이어가는 데에 아무런 문제가 없다면, 굳이 식탁에 고기를 올리기 위해서 열을 올리지 않아도 된다는 입장이죠. 그리고 소비자들이 찾지 않는다면 그만큼 생산도 줄어들 것이고 결국 인간을 위해 동

물이 희생하는 일도 줄어들 것입니다.

여기서 채식이란 두 가지로 나누어 집니다. 하나는 전통적인 의미의 채식인데 이것은 동물의 고기는 먹지 않지만 동물에게서 얻을 수 있는 식품, 계란과 우유 같은 음식을 먹는 것은 허용하는 입장입니다. 또 하나는 완전 채식으로 계란이나 우유 같은 음식도 일체 먹지 않는 것을 말합니다. 매일처럼 밥상에 고기를 올리던 사람이 갑자기 완전한 채식을 하기란 쉬운 일이 아니겠지요? 그래서 피터 싱어는 다음과 같이 실천 가능한 지침을 제시합니다.

– 동물 고기를 식물성 음식으로 대체한다.
– 구할 수만 있다면 공장식 농장의 계란을 방사한 닭의 계란으로 대체한다. 그렇게 하지 못한다면 계란을 먹지 말라.
– 우유와 치즈를 두유와 두부 혹은 다른 식물성 음식으로 대체하라. 하지만 유제품이 들어 있는 모든 음식을 피하기 위해 지나칠 정도로 자세히 알아보아야 한다는 의무감에 사로잡힐 필요는 없다.

2. 기출 문제에서 만난 피터 싱어

1) 인간과 동물

인간과 동물의 공통점과 차이점을 규명하는 일은 아주 오랫동안 진행되어온 논쟁입니다. 따라서 그동안 논술 문제에서 이에 대한 견해를 묻는 문제가 출제되었으리라는 것은 그리 어렵지 않게 짐작해 볼 수 있겠지요. 2002학년도 이화여대 정시 논술고사에서는 다음과 같은 문제가 출제되었습니다.

다음의 두 글은 인간과 동물의 본래적 지위에 관해 상반되는 입장을 보여주고 있다. 두 제시문을 비판적으로 검토하면서, 오늘날 우리 사회가 추구해야 할 인간과 동물의 바람직한 관계에 대해 자신의 견해를 논술하시오.

인간과 인간이 아닌 타생명체와의 바람직한 관계를 묻는 논술 문항입니다. 주어진 두 개의 제시문 중 하나는 미국의 철학자 레이건의 《동물 옹호론(1985)》 중 일부이고 다른 하나는 독일 철학자 칸트의 《추측해 본 인류 역사의 기원》이라는 책에서 발췌된 글입니다. 레이건의 입장은 동물과 인간과 같은 하나의 생명체로서 인간과 동일한 가치를 지니고 있다는 입장입니다. 반면, 칸트는 인간은 본래 이성적인 존재라는 점에서 동물과는 근본적으로 다르다고 주장합니다.

이쯤 되면 우리가 이야기하고 있는 피터 싱어의 주장과 같은 사람이 누구일지 찾을 수 있겠지요? 바로 레이건입니다. 레이건은 인간이 각각의 삶에 대한 경험적 주체라는 점, 각자의 안녕을 도모하는 의식적 존재하는 점에서 동물의 삶도 고유한 본래적 가치를 지니는 존재로 받아들여야 한다고 주장합니다. 그에 따르면 자율성과 이성, 지성을 인간만이 가지고 있다는 것은 명백한 종차별주의입니다.

칸트의 주장을 볼까요? 칸트에 의하면 처음에는 인간과 동물이 모두 본능에 따라서 행동했다고 합니다. 그러나 동물과 달리 인간은 스스로 삶의 방식을 선택할 수 있는 능력인 이성을 발견하고 그 이성에 따라 행동하게 되면서 동물과는 다른 존재가 됩니다. 그리고 이성에 의해 본능적인 충동을 지배할 수 있게 되고 나아가 미래에 대한 의식적인 기대까지 갖게 되었는데 이런 특징은 동물들에게는 찾아볼 수 없는 것들입니다. 칸트는 인간 스스로 인간이 본래 자연의 목적이고 지상의 어떤 동물도 인간과 견줄 수 없다는 것을 인간 스스로 파악했다고 봅니다.

양의 가죽이 있다고 가정합시다. 칸트의 논리에 따르면 그 양의 가죽은 양을 위한 것이 아닙니다. 양의 가죽은 인간을 위한 것입니다. 따라서 다른 동물은 인간의 의도에 따라 사용할 수 있는 수단이나 도구 정도밖에 되지 않는다는 것입니다.

그러나 피터 싱어는 아픔을 느끼고 즐거움을 느낄 수 있다면 누구나 동등한 권리를 가지고 있다고 말합니다. 현대 사회에서 우리가 추구해야 할 인간과 동물의 바람직한 관계는 무엇일까요?

실전 논술

논술 문제

case 1 (가)에서 말하는 이익평등고려의 원칙의 의미를 찾아 (나)의 데바닷타의 생각에 대해 문제점을 지적해 보시오.

(가) "그래 맞아. 사람이라면 누구나 즐거움을 찾고 고통을 피하려고 해. 그러니까 사람은 즐거움을 위해 살아가는 것이고 다르게 말하면 불필요한 고통을 당하지 않는 것이라고 할 수 있지. 사람은 누구나 정당한 이유 없이 고통당하지 않을 최소한의 이익을 가지고 있다고 할 수 있어. 이러한 이익은 그것이 누구의 것이든 간에 평등하게 가질 수 있어. 그건 우리가 지켜야 될 중요한 도덕적 원칙이라고 할 수 있지."

"그건 당연한 말씀이신 것 같아요. 저도 그렇게 생각해요."

오빠는 고개를 끄덕였습니다.

"이 원칙을 호주의 철학자 피터 싱어라는 사람은 이익평등고려의 원칙이라고 했어."

아무리 아빠가 대학에서 철학을 가르치는 교수님이라고 해도 그렇지요. 그렇게 어려운 말을 사용하면 제가 잘 알아들을 수 있나요? 저는 아빠의 말씀에 머리가 어질어질했습니다.

"이익평등…… 무슨 원칙이요?"

"응, 우리가 도덕적이기 위해서는 우리의 판단이나 행동의 영향을 받는 모든 사람들의 이익을 평등하게 생각해서 행동해야 한다는 원칙이지. 무슨 말이냐면 나의 이익이라고 해서 다른 사람의 이익보다 중요시하거나 나와 친한 사람의 이익이라고 해서 나와 친하지 않은 사람의 이익보다 중요시해서는 안 된다는 거야."

"그러니까, 우진이가 윤진이를 괴롭힌 것은 자신의 이익만 생각했다는 거군요. 자신의 행동이 윤진이의 이익에 어떻게 평등하게 영향을 미치느냐 하는 문제는 생각하지 않고요."

오빠가 아는 체를 했습니다.

"그래! 잘 알아듣는구나. 우리 윤석이. 만약 우진이가 자신의 행동이 미칠 영향을 생각했다면 그런 일은 하지 않았을 테지."

"다시 말해서 당신 말은, 나의 행동이 도덕적 행동인지 비도덕적 행동인지는 나의 행동에 의해 영향받을 사람의 입장이 되어 생각해 보라는 거죠?"

엄마가 숭늉을 가져오시며 말씀하셨습니다.

"그렇지! 우리 마누라 똑똑한데?"

아빠의 칭찬에 엄마가 머쓱해 하시는 것처럼 보였어요.

"역지사지요! 입장을 바꿔 생각해 보라는 말씀이시잖아요!"

저도 좀 잘난 척을 했습니다. 아빠는 그렇지! 하시며 무릎을 치셨습니다.

"우와! 우리 윤진이가 어떻게 그런 말을 알고 있었지? 그래, 바로 이익평등고려의 원칙은 쉽게 말하자면 역지사지의 원칙이라고 할 수 있어. 그렇다면 이익평등고려라는 도덕적 원칙에 비추어 볼 때 우진이의 행동이 왜 도덕적으로 옳지 못한 행동인가를 이해할 수 있겠지?"

"네!"

오빠와 제가 동시에 대답했습니다. 참으로 오랜만에 의견이 일치했답니다.

— 《피터 싱어가 들려주는 동물 해방 이야기》 중에서

나 소년들이 놀고 있는 동산 위로 기러기 떼가 허공을 가로질러 날아가고 있었습니다. 한 소년이 기러기를 향해 활을 쏘았습니다. 그러자 다른 소년들도 활을 쏘기 시작했습니다. 화살이 허공을 갈랐습니다. 그러나 모두 기러기에는 미치지 못했습니다. 그것을 보고 마음을 놓는 한 소년이 있었습니다. 싯다르타였습니다. 그는 활을 쏠까 말까 망설였습니다.

옆에서 활을 쏘고 있던 친구 데바닷타가 싯다르타에게 말했습니다.

"너는 왜 안 쏘니?"

"나는 힘이 없어서 못 맞힐 것 같아서 그래."

"그것도 못 맞히니? 나는 꼭 기러기를 잡아서 사람들에게 뽐낼 거야."

데바닷타는 다시 화살을 메겨 힘껏 활을 당겼습니다.

싯다르타는 활을 쏘기 싫어서 궁궐로 돌아왔습니다. 기러기가 화살에 맞지 않기를 바랐습니다. 아이들에게, '기러기가 불쌍하지도 않니? 우리, 그만두자.' 라고 말하지 않은 것이 후회가 되었습니다. 마음을 가라앉히려고 정원을 거닐고 있었습니다.

그때, 싯다르타는 하늘에서 무엇인가가 정원 쪽으로 떨어지는 것을 보았습니다. 가까이 다가가 살펴보니, 화살을 맞은 기러기였습니다. 아직 숨이 끊어지지 않은 채, 가쁜 숨을 몰아쉬고 있었습니다.

"불쌍하기도 해라. 걱정 마라, 내가 돌보아 줄 테니!"

싯다르타는 화살에 맞은 기러기를 조심스럽게 안고 궁궐로 들어가 깃털과 살을 뚫은 화살을 조심스럽게 뽑았습니다. 그러자 화살을 뽑은 자리에서 피가 흘러내렸습니다. 싯다르타는 피를 멎게 하는 가루약을 상처에 뿌리고 붕대를 감아 주었습니다.

그 기러기는 데바닷타의 화살을 맞고 떨어진 것이었습니다.

한편, 데바닷타는 기러기가 궁궐에 떨어졌다는 말을 듣고, 하인을 보내 기러기를 달라고 하였습니다.

그러자 싯다르타는 데바닷타의 하인에게 이렇게 말했습니다.

"그 기러기는 상처가 심해서 내가 돌보는 중이다. 데바닷타가 기러기를 어디에 쓰려고 하는지 내가 너무 잘 알고 있으니, 죽어 가는 기러기를 돌려줄 수가 없구나. 가서 그렇게 전해라."

– 초등학교 《도덕 6》 중에서

생각 쓰기

case 2 (가)와 (나)에 등장하는 인물들은 두 가지의 서로 다른 입장으로 나눌 수 있습니다. 각각의 입장에 따라 나누고 주장하는 바를 비교해서 써 보시오.

가 규원이는 과자를 바닥에 쏟았습니다. 야개가 달려들어 과자를 먹으려 하자 규원이가 과자를 발로 밟아 부쉈습니다. 야개는 다 부서진 과자를 먹으려고 혀를 날름거리며 애를 썼습니다. 아이들은 과자에 정신이 팔린 야개의 꼬리를 잡아당기며 뭐가 그리 재미있는지 낄낄거렸습니다. 그 모습이 너무나 안타까웠지만 어쩔 수 없이 지켜만 보았습니다.

"정말, 너희들 그렇게 못된 짓 할래?"

저는 화가 난 나머지 규원이의 팔을 세게 꼬집었습니다.

"뭐야? 김윤진! 아프잖아, 왜 꼬집어? 여자라고 봐줬더니……."

"아프니? 아프지? 내가 널 꼬집으니까 아프지?"

규원이는 아픈지 자기 팔을 쓰다듬었습니다.

"네가 아픈 것처럼, 야개도 너희들이 때리고 괴롭히면 아프다고! 입장 바꿔 생각해 봐. 너희들이 몸이 불편한데 다른 사람들이 놀리고 때리면 좋겠니?"

저는 준하와 규원이에게 소리를 질렀습니다.

"윤진이 너 웃긴다! 사람하고 개하고 똑같니?"

규원이가 한심하다는 듯이 말했습니다.

"그럼, 똑같지. 아픈 걸 느끼는 건 개나 사람이나 똑같은 거 아니야? 다리가 아프니까 절뚝거리는 거고, 배고프니까 낑낑대는 거고……."

"맞아!"

제 말에 지선이가 맞장구를 쳤습니다.

"그래도 개는 개고, 사람은 사람이지. 너 지금 야개와 나를 똑같이 보는 거야?"

"내가 볼 땐 너희들은 야개만도 못해. 비록 야개는 떠돌이 개지만, 우리를 물거나 겁주지는 않는다고!"

"나 참, 기가 막혀! 여자애들이 남자애들을 무시하고 깔보는 건 알았지만, 개 취급하는 건 못 참겠다."

"이 무식한 남자애들아! 그러니까 너희들이 야개를 괴롭히지 않으면 될 거 아니야? 역지사지란 말도 몰라. 입장 바꿔 생각하라는 뜻이야. 너희가 야개라면 기분이 어떻겠니?"

지선이가 말했습니다.

"누가 역지사지란 말도 모른대? 그래, 너희들이 야개를 불쌍하게 여기는 마음은 어느 정도 이해가 가지만, 개 입장에서 생각하라는 말은 좀 억지가 있다는 거지. 개와 사람은 다르잖아? 그리고 개가 무슨 생각이 있다고 그런 말을 하냐? 괜히 잘난 척하고 싶으니까 그렇지? 너희만 착한 척하고 싶은 거지? 그러니까 여자애들은 재미를 모른다니까!"

"개보다 사람이 더 낫다고 생각하는 것 자체도 잘못된 거야!"

"윤진이 너 참 답답하다. 그럼 개가 사람보다 더 낫다는 거야?"

"넌, 어떻게 한 가지밖에 생각을 못하니? 개가 사람보다 낫다는 뜻이 아니라 개도 똑같이 아픔을 느끼는 동물이니까 함부로 대하면 안 된다는 뜻이야. 사람과 개를 비교하면서 시비를 걸지 말고 똑같이 아픔을 느낀다는 것으로 비교를 해야지."

—《공손룡이 들려주는 이름 이야기》 중에서

나 포셔 : 바로 저 상인의 살 1파운드가 그대의 것이오. 이 법정이 그걸 인정하고 법이 보장하오.

샤일록 : 과연 공정한 판사님이시다!

포셔 : 그대는 살을 저 사람의 가슴에서 잘라 내도 좋소. 법이 인정하고 법정이 허락하겠소.

샤일록 : 박식한 판사님, 감사합니다. 자, 판결이 났다. 각오해라. (칼을 빼 들고 앞으로 나온다.)

포셔 : 잠깐, 기다리시오. 이 증서엔 피는 단 한 방울도 당신에게 준다는 말이 없소. 여기에는 '살 1파운드' 라고 분명하게 적혀 있소. 증서대로 살을 1파운드만 떼어 가시오. 다만, 살을 떼 내면서 이 상인에게 피를 한 방울이라도 흘리게 한다면, 그대의 토지와 재산을 베니스의 법률에 의하여 몰수할 것이오.

그라시아노 : 오, 공명정대한 판사님이시다! (샤일록에게) 들었느냐?

샤일록 : 이게 법인가요?

포셔 : (법전을 들어 보이며) 그대가 직접 법조문을 들여다보시오. 그대는 정의를 고집했으니, 그대가 원하는 대로 정의롭고 엄격한 재판을 받을 것이오.

그라시아노 : 오, 박식한 판사님이시로다! 현명한 판사님!

샤일록 : 아까 그 제안을 받아들이겠습니다. 증서에 기록되어 있는 금액의 세 배를 받고, 저 상인을 풀어주겠습니다.

바사니오 : 옜다, 돈! 여기 있다.

포셔 : 잠깐! 샤일록이 받는 건 정의의 판결뿐이오. (법정을 둘러보며) 조용히 하시오. 증서에 적힌 것만 받도록 허락하겠소.

그라시아노 : 어떠냐, 나쁜 놈아! 공정한 판사님이시로다!

포셔 : 어서 살덩이를 떼어 낼 준비를 하시오. 피는 한 방울도 흘려선 안 되오. 그뿐만 아니라, 살을 정확히 1파운드만 떼어 내야 하오. 1파운드보다 많거나 적으면 안 되오. 그보다 무게가 가볍거나 무거워서 저울대가 불과 머리카락 한 올만큼이라도 기울어진다면 그대를 사형에 처하고 그대의 전 재산을 몰수할 거요.

그라시아노 : 명판사님께서 돌아오셨다. 샤일록, 이 나쁜 놈아! 꼼짝 못하게 되었구나.

포셔 : 어찌하여 주저하는가? (샤일록에게) 어서 가져가시오.

샤일록 : (울먹이는 목소리로) 원금만 받고 가게 해 주십시오.

바사니오 : 돈은 준비돼 있다. 옜다, 가져가라.

포셔 : 저 사람은 이 공개 법정에서 이미 그걸 거절했소. 그러니까 증서대로 정당한 담보물만 주면 그만이오.

샤일록 : 원금만이라도 받을 수 없겠습니까?

포셔 : 그대가 받을 수 있는 것은 오로지 증서에 적혀 있는 것뿐이오. 살 1파운드 뿐이란 말이오. 그것도 그대의 생명을 걸고서.

샤일록 : 제기랄, 마음대로 하시오! 더 이상 엉터리 재판에는 응하지 않겠소.

(돌아선다.)

—《피터 싱어가 들려주는 동물 해방 이야기》 중에서

다 어떤 손(客)이 나에게 이런 말을 했다.

"어제 저녁엔 아주 처참(悽慘)한 광경을 보았습니다. 어떤 사람이 큰 몽둥이로 돌아다니는 개를 쳐서 죽이는데, 보기에도 너무 참혹(慘酷)하여 실로 마음이 아파서 견딜 수가 없었습니다. 그래서 이제부터는 맹세코 개나 돼지의 고기를 먹지 않기로 했습니다."

이 말을 듣고, 나는 이렇게 대답했다.

"어떤 사람이 불이 이글이글하는 화로(火爐)를 끼고 앉아서, 이를 잡아서 그 불 속에 넣어 태워 죽이는 것을 보고, 나는 마음이 아파서 다시는 이를 잡지 않기로 맹세했습니다."

손이 실망한 표정으로,

"이는 미물(微物)이 아닙니까? 나는 덩그렇게 크고 육중한 짐승이 죽는 것을 보고 불쌍히 여겨서 한 말인데, 당신은 구태여 이를 예로 들어서 대꾸하니, 이는 필연(必然)코 나를 놀리는 것이 아닙니까?" 하고 대들었다. 나는 좀 구체적으로 설명할 필요를 느꼈다.

"무릇 피(血)와 기운(氣)이 있는 것은 사람으로부터 소, 말, 돼지, 양, 벌레, 개미에 이르기까지 모두가 한결같이 살기를 원하고 죽기를 싫어하는 것입니다. 어찌 큰 놈만 죽기를 싫어하고, 작은 놈만 죽기를 좋아하겠습니까? 그런즉, 개와 이의 죽음은 같은 것입니다. 그래서 예를 들어서 큰 놈과 작은 놈을 적절히 대조한 것이지, 당신을 놀리기 위해서 한 말은 아닙니다. 당신이 내 말을 믿지 못하겠으면 당신의 열 손가락을 깨물어 보십시오. 엄지손가락만이 아프고 그 나머지는 아프지 않습니까? 한 몸에 붙어 있는 큰 지절(支節)과 작은 부분이 골고루 피와 고기가 있으니, 그 아픔은 같은 것이 아니겠습니까? 하물며, 각기 기운과 숨을 받은 자로서 어찌 저놈은 죽음을 싫어하고 이놈은 좋아할 턱이 있겠습니까? 당신은 물러가서 눈 감고 고요히 생각해 보십시오. 그리하여 달팽이의 뿔을 쇠뿔과 같이 보고, 메추리를 대붕(大鵬)과 동일시하도록 해 보십시오. 연후에 나는 당신과 함께 도(道)를 이야기하겠습니다."

— 이규보, 《슬견설(蝨犬說)》 중에서

생각 쓰기

case 3 (가)는 인간 사회의 평등에 대해 설명하고 있습니다. (나)와 (다)를 통해 동물이 가진 생명의 가치와 평등의 의미를 설명하시오.

가 사람들이 처음 만날 때에 흔히 묻는 말이 있습니다. "고향이 어디에요?" "학교는 어딜 나왔죠?" "종교는 있나요?" "나이는 어떻게 돼요?" 등과 같은 질문들인데, 간단해 보이는 이런 질문 하나하나가 차별의 요소가 될 수 있는 것이 현실 생활입니다.

모든 사람은 "권리에 있어 평등하다"고 하지만, 성별, 나이, 출신 지역, 종교, 피부색, 빈부 등과 같은 차이를 이유로 갖가지 차별이 행해지고 있습니다. 차별이 끼치는 해악 중의 하나는 차별받는 사람이 사회 참여의 기회를 빼앗기거나 사회에 온전하게 참여할 수가 없게 된다는 것입니다. 예를 들면 여성이라고 해서 해고의 우선 순위가 된다든지, 또는 승진의 기회가 제한된다든지 하는 경우입니다.

차별에는 남녀 차별, 장애인 차별, 인종 차별 등 우리가 인식하고 있는 유형만 있는 게 아닙니다. 사회의 변화에 따라 새로운 유형의 차별은 언제든지 등장할 수 있습니다. 예를 들어, 최근에는 에이즈 환자에 대한 차별이나 외국인 노동자에 대한 차별 등에 대해 주목하기 시작했습니다.

인권을 지키기 위해서는 이미 있는 차별에 대해서나 새롭게 등장하는 불평등 요소에 대해서 촉각을 세우고 적극적으로 고치려는 자세가 필요합니다.

— 초등학교 《국어 읽기 6 - 2》 중에서

나 "윤석이 인종차별이라는 말 들어 봤지?"

"네."

"인종차별이 뭐니?"

"그건 자기와 다른 인종에 속한다는 이유만으로 다른 인종에 속하는 사람들을 차별하고 학대하는 거예요. 지난번 뉴스에서 들었는데요. 가끔 미국에서는 백인 경찰이 용의자를 체포하는 과정에서 백인이냐 흑인이냐에 따라 폭력의 강도를 다르게 한다고 하더라고요. 그것이 바로 인종차별 아닌가요? 우리나라 사람들도 외국인을 대할 때 서양인들에게는 더 친절하면서 동양인들에게는 불친절하게 대한대요."

"윤석이가 아주 잘 알고 있구나. 인종이 달라서 차별하는 건 이익평등고려의 원칙을 어기고 있다고 할 수 있어."

"아빠 말씀은 충분히 알겠어요. 인종이나 성에 따라서 부당하게 차별 대우해서는 안 된다는 말씀이죠? 그런데 동물은 인간이 아니니까 차별하는 게 뭐 그렇게 나쁜 일인가요?"

오빠는 아직도 동물을 도덕적 고려의 대상으로 삼는 것이 마음에 들지 않아 보였습니다.

"인종차별과 성차별은 오늘날 대부분의 사람들이 잘못된 것이라고 생각하고, 지금은 많이 나아졌지. 인종이나 성이 다르다는 이유 때문에 도덕적으로 옳으냐 그르냐 생각하지 않는단다. 노예로 부렸던 흑인이나 선거권이 없었던 여성이 지금은 모두 평등한 대우를 받고 있는 것처럼, 흑인도 여성도 도덕면에서 고민해야 하는 대상이라는 건 너무 당연해. 하지만 우리가 극복해야 할 또 다른 편견이 있단다."

"그게 뭔데요?"

저와 오빠는 아빠의 말에 귀를 기울였습니다.

"그것은 동물을 도덕적으로 보지 않는 오래된 편견이야. 피터 싱어의 말대로라면 인종차별과 성차별처럼 종이 다르다는 이유로 인간과 동물을 차별하는 것은 종차별이라고 할 수 있지."

종차별이라고요? 인종차별은 많이 들었는데 종차별은 처음 들어보았습니다. 아무래도 파충류, 포유류 할 때 그 '종' 인가 봅니다.

"그렇다면 동물의 이익도 인간의 이익과 마찬가지로 평등하게 고려되어야 하겠지? 우리가 토끼나 돼지와 같은 동물의 이익을 무시하고 인간의 이익만 중시할 경우, 우리는 정당한 이유 없이 단지 우리와 같은 종이 아니라는 이유만으로 또 하나의 차별 즉 종차별을 행하고 있는 것이란다. 동물도 기쁨과 슬픔, 아픔을 느낄 수 있어. 그러니까 도덕적으로 생각해 볼 수 있는 존재란다."

— 《피터 싱어가 들려주는 동물 해방 이야기》 중에서

다 인간을 제외한 동물들이 폭군이 아니고서는 결코 빼앗아 갈 수 없는 권리를 획득할 날이 올지도 모른다. 프랑스 사람들은 피부가 검다는 것이 한 인간에게 고통을 주고도 보상 없이 방치해도 좋은 이유가 되지 않는다는 것을 이미 발견했다. 다리의 수, 피부의 털, 꼬리뼈의 생김새가 감각적인 존재를 동일한 운명에 처하게 할 만한 충분한 이유가 아니라는 사실을 언젠가는 깨닫게 될 것이다. 그 외에 무엇이 뛰어넘을 수 없는 경계선이 되겠는가? 이성의 능력인가? 또는 대화의 능력인가? 그러나 충분히 성장한 말이나 개는 갓난아이와는 비교할 수 없을 정도로 합리적이고 말이 더 잘 통한다. 그렇지 않다고 하더라도 무엇이 더 필요한가? 문제는 그들이 사유할 수 있는지 또는 말할 수 있는지가 아니라 그들이 고통을 느낄 수 있는가 하는 것이다.

— 벤담의《도덕과 입법 원리 입문》17장 1절 중에서

— 경향신문, 아비투어 논술, 벤담의 공리주의

생각 쓰기

생각 쓰기

case 4 (가)와 (나)를 읽고 (다)에 나타난 '지구의 일'이란 누구의 일인지, 구체적인 대상과 범위를 설정해 보시오.

가 오빠는 뭔가 생각났다는 듯이 소리를 쳤습니다. 우리는 일제히 오빠를 바라보았죠.

"세상에는 먹을 것이 없어서 충분한 영양을 공급받지 못해서 죽는 사람이 많잖아요?"

"많지."

"대규모 동물 사육을 통해 그런 사람들에게 더 많이 먹을 것을 주는 건 좋은 것 아닌가……요?"

오빠는 조금 전과는 달리 자신 없는 목소리로 말했어요.

"생각해 보면 그럴 것도 같은데 동물의 고기가 어떻게 만들어 지는지를 알고 나면 그 문젠 해결될 수 있어."

어느새 아빠는 아저씨게 우리를 맡겨두시고 평상에 벌렁 드러누웠습니다.

"어떻게요? 어떻게 알 수 있어요?"

저는 호들갑을 떨면서 물었습니다.

"한 마리의 송아지가 1파운드의 단백질을 만들려면 21파운드의 단백질이 필요하단다. 어떤 연구결과 미국인들이 1년에 10%만 고기 소비를 줄인다면 최소한 1200만 톤의 곡식이 인간을 위해 사용될 수 있대. 이것은 우리나라 인구 전체를 먹여 살리는데 사용되고도 남는 양이야."

"진짜요? 그 많은 식량이 남아요?"

"그럼, 실제로 풍요로운 국가에서 동물생산을 통해 낭비되는 식량이 적절히 나누어지기만 한다면 세상의 기아와 영양실조를 없애기에 충분한 정도의 양이라고 할 수 있어."

"더 심각한 건……."

주무시고 계시는 줄만 알았던 아빠가 갑자기 벌떡 일어나셨어요.

"고기를 얻기 위해 무분별하게 산림을 파괴한다는 거야. 열대우림 지역이 소를 키우기 위한 곳으로 바뀌고 있어. 이렇게 파괴된 산림은 온실효과라는 환경문제를 가지고 왔지. 온실효과로 인해 수많은 종들이 멸종될 거야. 그리고 해수면이 상승해서 인간을 포함한 수많은 생물들이 위협을 받게 되겠지. 결국은 우리의 육식습관이 지구의 미래를 위협하고 있다고 할 수 있지."

아빠는 흥분하셨는지 어려운 말씀으로 길게 설명하셨어요. 그리고는 언제 그랬냐는 듯 다시 벌렁 드러누웠습니다. 아저씨는 아빠의 그런 모습이 우스웠던지 웃고 계셨지만 저와 오빠는 웃지 않았어요. 참으로 심각한 이야기잖아요?

"고기를 먹는 것이 우리의 삶을 위협한다니……."

"너희 아빠 말씀으로 비추어 볼 때 채식이 세상의 기아와 영양실조를 없애는 데에도 도움 줄 수 있고 환경오염과 파괴를 막아 줄 수 있어. 이런 점에서 보면 동물해방은 곧 인간 해방이기도 하지."

—《피터 싱어가 들려주는 동물 해방 이야기》 중에서

나 숨이 턱턱 막힐 정도로 더운 여름에는 옆에 사람이 있는 것조차 싫어집니다. 해마다 여름은 왜 이리 더운 건지, 지구에 일이 나도 단단히 난 것 같습니다. 무분별한 소비와 개발이 인간에게 경고음을 보내고 있는 것은 아닐까요?

안심하고 마실 수 있는 물이 사라져 가고, 공기도 더러워지고 있습니다. 점점 더 많은 식물과 동물이 지구에서 자취를 감추고 있습니다. 열대 우림의 55퍼센트가 이미 사라졌고, 매년 2만 7천여 종의 동식물이 지구에서 자취를 감추고 있습니다. 그 결과, 전 세계는 환경 문제와 기상이변으로 고통받고 있습니다.

지구상에서 살아가는 생명체는 인간만이 아닙니다. 인간은 수많은 동식물과 더불어 사는 존재입니다. 따라서, 인간의 권리만을 생각하고 지구상에 같이 존재하는 자연을 존중하지 않는다면, 인간의 권리도 제대로 보장받을 수 없을 것입니다. 자연과의 조화와 공존을 추구하는 일은 전 인류의 과제일 수밖에 없습니다.

— 초등학교 《국어 읽기 6-2》 중에서

다 해가 뜨고

달이 뜨고

꽃이 피고

새가 날고

잎이 피고

눈이 오고

바람 불고

살구가 노랗게 익어 가만히 두면

저절로 땅에 떨어져서 흙에 묻혀 썩고

그러면 거기 어린 살구나무가 또 태어나지.

그 살구나무가 해와 바람과 물과 세상의 도움으로 자라서

또 살구가 열린다.

가만히 생각해 보면 얼마나 신기하니?

작고 예쁜 집을 짓고

알을 낳아 놓았지.

가만히 생각해 보면 그것 또한 얼마나 기쁜 일이니?

다 지구의 일이야.

그런 것들 다 지구의 일이고

지구의 일이 우리들의 일이야.

어떤 일이 있어도 사람이 지구의 일을 방해하면

안 돼.

— 초등학교 《국어 읽기 6-2》 중에서

생각 쓰기

생각 쓰기

실전 논술

예시 답안

case 1 사람들은 저마다 자신의 이익을 추구하면서 살아갑니다. 그런데 우리 사회는 사람들이 서로 어울려 살아가기 때문에 각자의 행동이나 판단이 서로에게 영향을 주고받게 됩니다. 여기에서 각각의 이익이 충돌하게 되면 여러 가지 사회 문제가 발생하게 되는데 그때 가장 중요한 것이 이 이익평등고려의 원칙입니다.

사람들은 누구나 즐거움을 좋아하고 고통을 싫어합니다. 그렇기 때문에 나의 행동이 다른 사람들에게 미칠 영향을 고려해야 하며 그 때 가장 중요한 것은 모든 사람들의 이익을 평등하게 생각해야 한다는 점입니다.

(나)의 데바닷타는 단지 사람들에게 뽐내기 위해 기러기를 활로 쏘는 행동을 합니다. 하지만 데바닷타의 행동이 기러기의 입장에서 기러기의 이익을 평등하게 고려한 행동이라고 할 수 없습니다. 왜냐하면 누구나 고통받기를 싫어하기 때문에 상대방을 고려해야 한다면, 그 상대방이 인간이냐 동물이냐는 그다지 중요한 요소가 아니기 때문입니다. 인간이나 동물이나 마찬가지로 고통을 느낍니다. 그렇게 본다면 데바닷타의 행동은 기러기의 입장에서 기러기의 고통을 충분히 고려하지 않은 행동이라고 볼 수 있습니다.

case 2 (가)에서 규원이와 윤진이 그리고 지선이는 개와 사람의 차이에 대해 이야기를 나누고 있습니다. 그 중 규원이는 개는 생각하는 능력이 없기 때문에 사람과는 다르다고 여깁니다. 그러나 지선이와 윤진이는 아픔을 느끼는 것은 개나 사람이나 모두 같기 때문에 개와 사람을 똑같다고 생각합니다. 따라서 개를 비롯한 동물들을 함부로 대해서는 안 된다고 주장합니다.

(나) 역시 나와 손님(客)이 사물을 보는 시각에는 차이가 있습니다. 손님은 개와 이를 다르다고 생각합니다. 개는 몸집이 크기 때문에 개의 죽음은 마음이 아프지만 이는 하찮은 미물에 불과하기 때문에 죽여도 괜찮다고 생각합니다. 그러나 나의 생각은 다릅니다. 생명이 있는 것은 모두 다 죽기를 싫어하고 살기를 원하는 마음은 한결같은 것인데 크기가 크고 작은 것은 중요하지 않다는 것입니다.

(가)의 규원이와 (나)의 손님은 모두 편견에 사로잡혀 있습니다. 동물은 사람보다 못하다는 편견, 작은 것은 큰 것보다 못하다는 편견이죠. 하지만 (가)의 윤진이와 지선이, 그리고 (나)의 나는 사물을 바라보는 올바른 시각을 가지고 있습니다. 크기나 종에 따라 편견과 선입견을 가지고 보는 것이 아니라 그 본질을 파악하고 있는 것이지요. 생명이 있는 것은 누구나 똑같이 소중하다는 점, 그리고 생명이 있는 것은 누구나 똑같이 아픔을 느낀다는 점에서 이 세상의 모든 생명을 가진 것들은 다 같이 평등하게 대해야 한다는 것이 올바른 생각입니다.

case 3 생명의 가치를 존중하는 데에 반대하는 사람은 없습니다. 마찬가지로 모든 사람이 평등하다는 데에 이의를 제기하는 사람도 없습니다. 인간의 생명은 존엄하고 귀한 것이며 그것은 누구에게 똑같이 평등하게 적용됩니다.

(나)에서는 편견에 대해 이야기하고 있습니다. 피부색이 다르다는 이유로 차별을하고 차별을 당하는 인종차별에서부터 여성과 남성을 바라보는 편견인 성차별까지 모두 우리가 극복해야 할 편견들입니다. 그런데 (다)를 보면 인간과 동물에 대한 편견에 대해 말하고 있습니다. 동물이 고통을 느낄 수 있다는 점을 보면 동물도 역시 인간과 똑같이 평등한 존재입니다. 서로 종이 다르다는 이유로 동물을 마음대로 무시하고 인간의 이익만을 존중한다면 그것 역시 바로잡아야 할 편견입니다.

여기에서 우리는 동물의 생명도 인간의 생명과 마찬가지로 존중받아야 한다는 점을 발견할 수 있습니다. 동물에게도 생명을 지키고 유지할 권리가 있다는 것이지요. 인간이 인간의 생명을 존엄하게 여기는 것처럼 그들도 그들의 생명을 소중하게 여기고 있으므로 인간이 마음대로 그들을 해쳐서는 안 됩니다. 마찬가지로 인간과 동물은 생명을 가진 존재라는 점에서 평등합니다. 기쁨과 슬픔, 아픔을 똑같이 느낄 수 있기 때문에 동물 역시 인간과 평등하게 도덕적 고려의 대상이 되어야 합니다.

case 4

현대 사회에는 아직도 먹을 것이 없어서 고통 받는 사람이 많이 있습니다. 그들을 위해서 동물을 대량으로 사육하고 고기를 얻어 그들을 구제하는 것이 옳은 일일까요? 그렇지 않습니다. 동물을 사육하기 위해서는 많은 곡식이 필요합니다. 곡식을 많이 들여 고기를 생산해서 일부의 사람이 고기를 즐기기보다는, 곡식을 동물의 먹이로 줄 것이 아니라 굶고 있는 사람들의 식량으로 쓰는 것이 더 경제적이고 효율적입니다.

따라서 일부 부유한 사람들의 식욕을 채우기 위해 동물을 사육하고 수많은 식량을 낭비하기보다는 인류 전체가 골고루 채식을 하는 것이 오히려 인류의 건강에도 도움이 되고 환경 문제를 해결하는 데에도 훨씬 발전적인 일입니다.

지구는 일부 잘사는 나라만을 위해 존재하는 것이 아닙니다. 전 인류를 위해 존재합니다. 더 나아가 지구는 인간만을 위해 존재하는 곳이 아닙니다. 지구상에 발을 딛고 있는 생명을 받은 모든 것, 그것이 인간이든 동물이든 혹은 식물이든 생명을 가진 모든 것이 함께 공존하는 곳입니다. 따라서 지구의 일이란 우리 모두의 일입니다. 지구 안에서 살아 숨 쉬는 모든 것과 지구상에 존재하는 모든 환경들이 모두 지구의 주인입니다. '어떤 일이 있어도 사람이 지구의 일을 방해하면 안' 된다는 것은 단지 인간의 욕심을 위해서 자연과 우주의 섭리를 거스르는 행위를 해서는 안 된다는 말로 해석할 수 있습니다.

철학자가 들려주는 철학이야기 066

베르그송이 들려주는 삶 이야기

저자_**박민수**

1964년 서울에서 태어나 연세대학교 문과대학 독어독문학과를 졸업하고 같은 대학교 대학원에서 실러 미학에 관한 논문으로 석사학위를 받았다. 이후 독일에 유학하여 베를린 자유대학에서 독문학과 철학을 공부했으며 '바움가르텐, 람베르트, 칸트, 실러, 헤겔의 미학에서 미적 가상의 복안' 이란 주제로 박사학위를 받았다. 그 동안 우리말로 옮긴 책으로는 《우리의 포스트모던적 모던》, 《신의 독약 - 에덴 동산 이후의 중독과 도취의 문화사》, 《데리다-니체, 니체-데리다》, 《거짓말을 하면 얼굴이 빨개진다 - 윤리의 문제를 생각하는 철학 동화》, 《책벌레》, 《크라바트》 등이 있다.

배경 지식 넓히기

William of Ockham

오캄과 '면도날'

베르그송 주요 개념

1. 베르그송을 만나다

1) 앙리 베르그송 — 시대와 생애

앙리 베르그송(Henri Bergson, 1859~1941)은 현대 프랑스의 철학자로서, 그의 철학은 삶에 대한 철학, 즉 생철학(生哲學)에 속한다. 그는 창조적으로 활동하는 삶 자체가 세계라고 보았다. 전통철학의 기계론이나 목적론은 각각의 고정된 형식에 의해서 세계를 파악하려고 하기 때문에 결코 삶 자체를 붙잡을 수 없다고 보았다. 삶은 정지되어 있지 않으며, 미리 정해진 일정한 계획이나 목적에 따라 기계처럼 움직이는 것이 아니라는 것이다. 오히려 매순간마다 자신을 새롭게 창조하는 것이 바로 삶이다. 《시간과 자유의지(1889)》, 《물질과 기억(1896)》, 《도덕과 종교의 두 원천(1932)》, 《사유와 운동(1934)》등이 그의 대표적인 저서이며, 1927년에는 《물질과 기억》으로 노벨문학상을 받기도 했다.

베르그송은 삶이 자신을 새롭게 창조할 수 있는 힘, 약진하는 삶의 힘을 '순수지속' 이라고 불렀다. 인간은 내적 직관인 공감을 통해 순수지속의 존재로 보았으며, 닫힌 사회에서 벗어나 열린사회로 나아갈 수 있는 것이다.

베르그송은 세계를 정신과 관점으로 설명하는 헤겔철학을 해체하는 데에서 시작한다. 헤겔은 개개인의 이성보다 훨씬 강력한, 신(神)과 같은 절대정신이 자신을 전개시키면서, 자연, 예술, 종교, 철학 등에서 모습을 드러낸다고 주장했다. 헤겔은 절대정신이 변증법론이라는 과정을 통하여 전개되고 그것이 실현되는 것이 세계의 목적이라고 주장했다. 이러한 헤겔철학의 기계론적이고 목적론적인 입장을 비판하면서 수많은 현대 철학이 탄생하였는데, 베르그송이 주장하는 삶의 철학 역시 그 중 하나이다.

2) 시간, 기억, 직관과 지성

우리는 언제나 시간 속에서 살아간다. "지금 몇 시니?" "그 선수는 100m를 9초대로 뛸 수 있어", "집까지 걸어가는 데 시간이 얼마나 걸릴까?"와 같이 시간은 일상적인 대화 속에서도 항상 존재한다. 그런데 시간에는 측정될 수 있는 물리적 시간 이외에 여러 가지 성격의 시간들이 있다. 어려운 수학수업의 한 시간은 느리게 흘러가지만, 친구들과 잡담을 하면서 즐겁게 보내는 한 시간은 빨리 지나가는 것처럼 느껴진다. 이런 시간은 심리적 시간이라고 한다. 그런데 베르그송은 물리적 시간과 심리적 시간 이외에 체험의 시간 즉, 공감의 시간으로서의 지속이 중요하다고 보았다. 물리적 시간과 심리적 시간은 생활에 유용한 시간에 지나지 않지만, 체험의 시간은 참다운 시간이라고 보았다. 그런데 대부분 사람들은 물리적인 시간이나 심리적인 시간 속에만 살고 있기 때문에 참다운 시간을 알지 못한다. 우리가 삶을 살아가는 것은 1초, 2초로 나누어는 게 아니라, 사실은 계속적으로 흘러가는 것인데도 우리의 지성은 이러한 흐름을 끊어서 생각한다는 것이다. 그렇기 때문에 인간은 수학적으로 나누어진 시간 속에 갇혀 자유를 잃어버린 채 살아간다. 그러나 시간을 흐름으로 받아들인다면, 시간에 쫓기지 않고 살아갈 수 있다. 예를 들어, 휴가 기간 동안 정해진 일상에서 벗어나 자연을 체험하면서 시간을 보낼 때 우리는 물리적 시간에서 벗어나 체험의 시간을 보낼 수 있다. 우리의 지성은 모든 것을 형식화하고 공간화하면서 물리적인 시간으로 바꾸어 버린다. 하지만 진정한 삶을 살기 위해서는 체험을 통하여 삶의 흐름을 공감해야만 한다. 베르그송은 생명력을 가지고 끊임없이 흐르는 체험적 시간, 곧 '지속' 을 붙잡아야 한다고 주장한다.

인간의 뇌는 기억을 할 수 있는데, 베르그송은 이러한 기억도 습관적 기억과 순수기억으로 나뉜다고 보았다. 습관적 기억이란 하루하루 정해진 일상을 살아가면서 우리의 몸에 고정된 습관을 기억하는 것이다. 그런데 습관적 기억은 인간만이 가지고 있는 것이 아니라 동물들도 가지고 있는 것이다. 반면 순수기억은 인간만이 가지고 있는 독특한 정신활동이다. 예를 들어, 슬픈 노래를 듣다가 예전에 이별한 친구를 떠올리거나 수학문제를 풀다가 문득 어제 본 축구경기가 떠오르는 것은 모두 순수기억에 의한 것이다. 잊고 싶은 기억을 마음대로 잊지 못하는 것도, 잊어버린 기억을 어느 순간 떠올리는 것도 모두 마찬가지다. 순수기억은 인간이 정신적 존재이기 때문에 가지고 있는 것이다. 그런데 이러한 순수기억 때문에 인간은 다른 동물들과는 달리 창조적인 삶을 살아갈 수 있는 것이다. 만일 인간에게 습관적 기억만 존재한다면, 동물과 같이 환경에 적응하면서 살아갈 수밖에 없다.

인간은 또한 지성을 가지고 있는 존재이다. 지성이란 합리적 사고를 의미하는 것으로, 실용적이고 실천적인 인간의 능력이다. 지성을 통해 인간은 효과적으로 사회생활을 이끌어갈 수 있는데, 지성은 수학적 논리적 사고를 가능하게 한다. 지성에 의하여 논리적이고 수학적인 방식으로 살아가는 것은 반드시 좋은 것만은 아니다. 오히려 개성을 상실한 채 편리함만을 추구할 수도 있기 때문이다. 베르그송은 지성과는 달리 직접 체험이나 직관을 통해 살아 움직이는 삶을 창조하기를 요구한다. 예를 들어, 약수터의 물을 생각해 보자. 보통의 물과는 달리 약수는 비릿한 맛이 나거나 톡 쏘는 맛이 나기도 한다. 이때 약수를 보통의 수소 분자 두 개와 산소 분자 한 개 이외에 철 성분이나 탄산 성분이 섞여 있기 때문이라고 생각하는 것은 지성 혹은 개념적 사고에 의한 것이다. 반면, 시원한 약수를 마시면서 '물맛 좋다' 라든가 '못 잊을 희한한 맛이야' 라고 느끼면서 물과 내가 하나가 될 수 있는 것은 본능적 직관에 의한 것이다. 베르그송은 이런 직접 체험을

'직관' 이라고 부르면서 사물과 공감하는 것이 중요하다고 말한다. 바다 위를 달리는 배 위에서 맞는 시원한 바람이나 강물에 반짝이는 햇빛의 아름다움을 느끼는 것과 같은 체험은 모두 직관에 의한 것이다. 베르그송은 이 직관을 통하여 공감할 수 있고, 이것이 바로 삶과 하나가 되는 앎이라고 보았다. 누군가를 사랑할 때는 그 사람을 수학적, 형식적, 합리적 사고로 판단하는 것이 아니다. 누군가를 불쌍하다고 여길 때도 마찬가지다. 합리적인 지성에 의한 판단은 자연과학의 발달을 가져왔지만, 오히려 인간성을 잃어버리는 소외 현상과 같은 문제도 가져왔다. 이러한 문제를 해결하기 위해서 필요한 것이 바로 직관을 통한 공감이다. 누군가를 이해하는 것, 누군가와 공감하는 것을 통해 인간은 삶의 참다운 기쁨을 느낄 수 있고 창조적인 삶을 이끌어갈 수 있다.

3) 열린사회와 생명의 약진

인간의 진화는 다윈이 주장하는 자연의 진화와는 다르다. 물론 인류 역시 삶 속에서 생물학적인 진화를 경험하면서 살아왔지만, 생물학적 진화 이외에 인간은 창조적인 진화를 한다. 한 세대의 죽음과 다음 세대의 삶이 교차하는 가운데 창조적인 변화가 일어나는 것이다. 이러한 변화를 가능하게 하는 힘이 바로 생명의 충동이며, 생명의 약진이고, 인간이 가진 의식의 흐름이다. 베르그송은 인간은 태어나서 죽을 때까지 자신의 삶이 참다운 지속과 새로운 병행을 하고 있는지 끊임없이 살펴봐야 한다고 주장한다. 진정한 삶이란 그냥 주어진 대로 살아가는 것이 아니라, 생명의 약진을 통한 창조적인 진화에서 비롯되는 것이기 때문이다.

창조적 진화가 가능한 것은 인간이 자발성을 가지고 움직일 수 있는 존재이기 때문이다. 자발성을 가지고 움직인다는 것은 형식적으로 쪼개진 삶을 그저 살아가는 것이 아니라, 이 세상을 체험하고 시간의 흐름을 온몸으로 받아들이면서 살아가는 것을 의미한다. 또한 이렇게 살아가는 사람이야말로 진정으로 자유로운 사람이다.

관습적이고 합리적으로만 살아가는 것은 닫힌 삶이고, 닫힌 사회이다. 베르그송은 삶이나 사회 모두 끊임없이 흐르는 것으로 파악하면서 인간의 직관에 의한 공감을 통해 삶의 약진과 하나가 되어야 한다고 보았다. 관습이나 형식이 지배하는 사회가 아니라 생명의 약진이 활발하게 이루어지는 생동감 넘치는 사회, 자발성과 자유로움으로 꿈틀대는 생명체 같은 세계가 열린 세계이며, 열린사회이다.

베르그송은 세계는 닫힌 사회가 아니라 열린사회로 나아가야 한다고 주장했다. 뿐만 아니라, 인간의 종교 역시 형식만을 따르는 것이 아니라 자유와 자발성을 가진 창조적이며 신비적인 정신이 살아 있는 역동적 종교, 열린 종교로 나아가야 한다고 주장했다.

칼 포퍼의 《열린사회와 그 적들》

철학자 칼 포퍼(Karl Popper)는 지배 계층의 집단적 사고방식인 이데올로기가 인간을 억압하고, 사회를 지배하는 것에 대하여 비판하였다. 그는 이러한 사회를 '닫힌 사회' 라고 비판하면서, 사회는 자유에 의해 발전하는 개방 사회 즉, 열린사회가 되어야 한다고 주장했다. 절대적인 진리를 부정할 수 있는 개인의 자유와 권리가 보장되어야 한다고 보았다. 그는 인간의 역사를 정해진 법칙에 따라 필연적으로 움직인다는 역사주의적 관점을 비판하고, 개인의 자유를 인정하지 않은 파시즘이나 마르크시즘과 같은 전체주의적 관점을 비판했다. 이러한 포퍼의 사상은 베르그송의 열린사회에서 영향을 받은 것으로 베르그송 역시 사회는 형식적인 법칙에서 벗어나 모든 인간이 스스로 자유를 누릴 수 있는 사회여야 한다고 보았다.

2. 교과서 속에서 만난 베르그송

자율성을 발휘하려면 한 가지 조건이 있다. 그것은 자신이 선택하고 결정한 행동에 대해서는 자신이 책임을 져야 한다는 것이다. 자율성을 주장하다가 그 결과가 좋지 않게 되었을 때 그 잘못을 남의 탓으로 돌린다든지 상대방을 비난한다면, 이는 자율적인 사람이 아닌 것이다. (……)

자기의 책임을 '시간이 없어서' 라고 핑계를 대는 사람은 다음과 같은 사실을 생각해 볼 필요가 있다.

스위스의 한 80세 노인이 자기의 생애를 시간의 양으로 계산해 놓은 통계는 무척 재미있다. 잠자는 데 26년, 일하는 데 21년, 식사하는 데 6년, 남이 약속 시간을 안 지켜 기다리는 데 5년, 불안스럽게 혼자 낭비한 시간이 5년, 세수를 하는 데 228일, 넥타이를 매는 데 18일, 담뱃불 붙이는 데 12일, 아이들과 노는 데 26일, 가장 행복했던 시간은 평생을 통해 불과 46시간이었다고 한다.

진정으로 의미 있고 행복한 시간은 자신의 자율 능력에 따라서 많아질 수도 있고, 적어질 수도 있다. 학창 시절에 청소년기가 지속될 것이라고 믿고, 순간순간 주어진 시간을 소중히 다루지 않는 사람이 많다. 지나치게 잠을 많이 잔다든지, 또 지나치게 자기가 해야 할 일을 미루거나 지체하는 습관들로부터 벗어날 수 있는 능력을 길러야 한다.

— 중학교 《도덕 1》 중에서

중학교 《도덕 1》 교과서에서는 의미 있고 행복한 시간을 살기 위해서 자율성을 길러야 한다고 설명하고 있다. 자율성이란 자신의 삶을 자유롭고 생동감 있게 살면서 자신의 행동에 책임의식을 가지는 것을 말한다.

베르그송은 삶을 살아가는 데 있어서 '시간'의 중요성을 강조했다. 그런데 이때의 시간이란 위에 나오는 스위스의 노인과 같이 모든 시간을 형식적으로 나누어서 계산하는 것이 아니다. 노인이 살았던 형식적인 시간 속에서 행복을 누리는 시간은 80년이라는 인생 중에서 너무나 보잘 것 없는 시간인 46시간에 불과하다.

매 순간의 시간을 헛되이 보내지 않고, 살아 있음을 느끼면서 살아가는 시간을 베르그송은 체험의 시간, 직관의 시간이라고 불렀다. 순간순간 주어진 시간을 소중히 생각하면서 그 속에서 자신이 체험한 것의 소중함을 느끼는 것이 중요하다는 말이다.

우리는 바쁜 일상을 살아가면서 자신을 돌아볼 여유를 갖지 못한다. 그러나 실제로 여유를 가질 시간이나 행복을 느낄 시간은 따로 있는 것이 아니다. '시간이 없기 때문에' 행복을 느끼지 못하는 것이 아니라, 내가 행복을 느끼는 시간이 무엇인지 생각하지 않은 채 그저 주어진 대로의, 짜인 대로의 시간을 살아가기 때문이다. 그러면서 행복하지 않다고 투덜대며, 불만을 가진 채 살아간다. 자신이 어떤 시간을 살아가고 있는지를 반성해 보면서, 삶을 주체적으로 살아간다면 굳이 일부러 여유를 찾지 않더라도 충분히 행복한 시간 속에서 살아갈 수 있다.

목이 마른 사람이 물이 반쯤 남은 컵을 보고 물이 "반이나 남았네"라고 말하는 것과, "반이나 없어졌네"라고 말하는 것에는 커다란 차이가 있다. 반이나 있다는 것은 '있음'을 강조한 긍정적인 표현이며, 반이나 없다는 것은 '없음'을 강조하는 부정적인 표현이다.

우리 청소년들은 긍정적 사고방식을 배워야 한다. 우리는 인생을 살면서 수없이 많은 난관, 고통, 좌절, 실패를 맛보게 된다. 그런 고난과 어려움을 극복할 수 있는 힘은 바로 긍정적 사고에서 나온다. '실패는 성공의 어머니' 라는 격언은 긍정적 사로를 표현한 가장 대표적인 예이다. 실패의 경험 속에는 반드시 성공의 힌트가 들어 있으므로, 그것을 발견하고 활용하면 성공할 수 있다는 말이다.

긍정적으로 생각을 하면 매사에 적극적인 자세를 가지게 된다. 아침에 잠에서 깨었을 때, "아! 또 괴로운 하루가 시작되는구나. 지겨워!" 라고 말하기보다는 "야! 새로운 하루가 시작되는구나. 오늘도 나의 하루를 행복한 마음으로 시작하자. 즐겁고 알찬 하루가 될 것이다" 라고 말해 보자. 또, 다소 어려운 상황이 닥치더라도, "이 정도는 나도 해낼 수 있어. 남들도 해냈는데" 하면서 자신을 격려해야 한다.

— 중학교 《도덕 1》 중에서

중학교 《도덕 1》 교과서에서는 긍정적인 사고방식에 대하여 설명하면서, 긍정적인 사고방식은 적극적인 삶의 자세를 가져온다고 말한다.

하루하루를 지겨워하면서 억지로 살아가는 삶은 불행할 수밖에 없다. 자신에게 주어진 삶을 적극적이고 긍정적으로 살아갈 때 우리는 삶 속에서 행복을 느낄 수 있는 것이다.

베르그송은 생명의 약진을 통한 창조적인 삶이야말로 인간이 추구해야 할 삶의 방식이라고 주장했다. 인간은 다른 존재와는 다르게 자발성을 가지고 움직일 수 있는 존재인데, 그저 형식적으로 쪼개진 삶을 살아간다면 그 삶은 불행하고, 삶에 대한 자세도 부정적일 수밖에 없다. 세상을 체험하고 시간의 흐름을 온몸으로 받아들이면서 살아가는 사람은 자신의 삶에 있어서 긍정적인 자세를 가진다는 것은 말할 필요도 없이 당연한 것이다.

지성의 영화적 방법과 직관에 의한 공감

베르그송은 지성적 사고를 설명하면서 이를 영화의 원리에 비유하여 설명했다. 우리가 보는 영화는 지속적으로 이어진 삶을 보여 주는 것이 아니라, 조각난 시간들을 1초에 15장씩과 같은 방식으로 빠르게 돌리는 것이다. 각각의 컷은 사실 정지된 그림이지만, 우리는 이것이 지속된 시간이라고 착각한다.

그는 "기존의 사회는 닫힌 사회이다. 닫힌 사회에서 인간은 관습적으로 합리적 사고에 따라서 행동한다. 닫힌 사회에서 지성은 영화적 방법으로 삶을 이해한다. 필름 한 컷, 한 컷이 공간적으로 떨어져 있는데도 불구하고 우리들은 필름의 여러 컷들을 빨리 움직이게 하여 마치 그것들이 끊임없이 흐르는 것처럼 생각한다. 이것이 지성 작업의 결과이다. 지성에 의한 영화적 방법을 극복하고 직관에 의한 공감을 통해 삶의 약진과 하나가 된다면, 우리는 스스로 자유를 누리며 열린사회를 창조할 수 있다"라고 말한다.

우리에게 주어진 시간을 형식적으로 나누어서 사는 것이 아니라, 연속적으로 사는 것이 중요하다. 그러기 위해서는 나누어진 시간에서 벗어나 우리의 자유로운 사고방식 즉, 직관을 통하여 삶을 누리면서 살아가야 한다.

3. 기출 문제에서 만난 베르그송

대학의 논술 시험에서 베르그송의 저서가 직접적으로 제시된 적은 없지만, 물질화되고 형식화된 오늘날 현대인들의 삶의 방식에 대한 비판과 반성을 요구하는 문제들은 모두 베르그송의 철학을 바탕으로 한다고 볼 수 있다. 2004년 이화여대 정시 논술, 2007년 연세대 정시 논술의 경우 베르그송의 철학을 통하여 이해할 수 있는 내용들이 출제되었다.

먼저 2004년 이화여대 논술의 경우, 현대 소비사회가 주제였다. 현대사회에서는 모든 것들이 소비의 대상이 될 뿐만 아니라 모든 외적인 것들에만 집중하는 것을 비판적으로 논술하기를 요구하는 문제이다. 이 중 헤르만 헤세의 《싯다르타》에서 발췌된 글은 베르그송의 체험과 직관의 중요성을 보여 주고 있다. 이 글은 외적인 조건으로만 사물을 판단하는 것이 아니라, 내면적인 아름다움을 체험하는 것이 중요하다는 것을 주장하는 글이다. 흘러가는 강물의 아름다움을 느끼기 위해서는 그것을 직접 체험하고 아름다움을 직관할 수 있어야 한다는 것이다. 자연의 아름다움은 외면적이거나 형식적인 기준에 의해서 측정되는 것이 아니라, 자연과 공감하는 과정에서 알 수 있는 것이고, 이것이 바로 베르그송이 말한 체험적 시간이다.

한편, 2007년 연세대 논술의 경우에는 나 자신이 아닌 다른 존재의 느낌과 생각을 이해할 수 있는가를 묻고 있다. 동물과 다른 존재인 인간은 과연 동물의 삶을 이해할 수 있을까? 이해할 수 있다면 무엇을 통해 이해할 수 있는 것일까? 베르그송은 체험과 직관을 통한 공감이 가능하다고 보았다. 예를 들어, 내가 전혀 모르는 사람의 죽음을 보면서 슬픔을 느낄 때가 있다. 또한 기분이 우울한 날 즐거운 축제가 열리는 공간으로 가면, 자신도 모르게 슬픔이 사라지는 것을 경험한 적이 있을 것이다. 슬픔과 즐거움을 체험하면서 다른 사람과 동일한 감정을 공감(共感)하게 되는 것이다. 자신과 다른 존재와 감정을 통한 교류가 바로 직관이며, 공감이다. 예를 들어, 우리가 애완동물을 키우다보면 자연스럽게 알 수 있는 것들이 있다. 동물의 아픔을 느낄 수도 있고, 두려움이나 즐거움도 알 수 있다. 어떻게 이것이 가능할 수 있을까? 바로 애완동물과 나 사이가 계산적인 관계가 아니라, 진정한 사랑을 나눌 수 있기 때문이다.

베르그송의 철학은 이 밖에도 현대 물질문명 사회를 살아가는 사람들의 삶이 얼마나 인간의 본질적인 삶에서 벗어나 형식화되고 합리화되었는지를 보여 주는 문제들을 해결하는 데에도 중요한 해결방향을 제시한다. 2003년 고려대의 도구적 합리성에 매몰된 현대인의 삶이나 주어진 상황에 안주하는 삶과 위험을 감수하며 도전하는 삶을 비교하면서 질문한 2000년 건국대 정시 논술에서도 찾아 볼 수 있다.

실전 논술

논술 문제

case 1 **제시문 (가)와 (나)를 비교하여 시간의 의미를 정리해 보시오. 그리고 현대사회의 인간에게 필요한 시간은 어떤 것인지 그 이유와 함께 자신의 생각을 논술하시오.**

가 17세기에 이르러 추시계의 발명으로 공공장소의 대형 시계를 비롯한 다양한 시계가 등장하기 시작하였다. 이제 시간을 지킨다는 것은 시간을 할애하고 또 시간을 배분하는 것으로 변했다. 사람들은 자신의 신체적 리듬을 따르기보다는 시계의 기계적 시간을 따르기 시작한 것이다. 허기질 때보다는 정해진 시간에 식사를 하였고, 졸릴 때보다는 취침시간에 잠자리에 들었다. 세상사는 순차적이 되었고, '시계처럼 규칙적' 이라는 말이 일상적 표현이 되었다. 오늘날에도 우리 사회는 시간에 집착하고 있다. 우리 모두는 수많은 시계와 달력을 가지고 있다. 이것은 아마도 그렇게 나쁜 현상만은 아닐 것이다. 어떤 작가가 말한 바와 같이 시간은 모든 것이 한순간에 일어나는 것을 막아 주는 신의 섭리이기 때문이다.

— 빌 맥레인, 《물고기는 물을 먹는가?》 중에서

나 꼬끼오, 꼬끼오, 꼬꼬꼬! 첫닭이 울었다. 닭이 울면 산꼭대기에 해가 손톱만큼 걸쳐있다는 뜻이다. 밖으로 나와 앞산을 보았다. 해가 손톱만큼 걸쳐 있었다. 히히, 역시 난 똑똑해. 손톱만한 해는 우리 시간으로 따지면 한 7시쯤일 거다.

우리는 내일 떠난다. 처음 이곳에 왔을 때는 여기서 일주일을 어떻게 지내나 걱정했는데 벌써 여기 들어온 지 6일이 지나다니……. 그 시간 속에 있을 때는 시간이 느리다고만 생각했는데, 그 시간을 다 보내고 되돌아볼 때가 되니 시간이 빠르다고 느껴졌다.

나는 마을 이곳저곳을 돌아다니며 그동안 배운 것들을 적었다. 누나처럼 머리가 좋지 않기 때문에 적지 않으면 금방 까먹곤 했다. 이곳저곳을 기웃거리며 기록하는데 민수가 바위에 앉아 뭐라고 중얼거렸다. 민수는 이곳을 빨리 떠날 수 있게어서 내일이 오라고 기도를 하고 있었다. 하하, 그렇다고 내일이 빨리 오나? 추장할아버지가 우리를 향해 걸어왔다.

"너희들 여기서 뭐하니? 다들 옥수수 따는 시합에 갔는데."

"기운 없어서 아무것도 못하겠어요. 할아버지, 지금 몇 시쯤 됐어요? 밤이 되려면 아직도 멀었어요?"

민수의 질문에 할아버지가 빙그레 웃었다. 그리고 마당에 있는 큰 나뭇잎을 매만졌다.

"지금은 밝은 녹색이지."

"네?"

민수의 눈이 동그래졌다.

"무슨 시간이 그래요? 10시면 10시, 11시면 11시, 시간은 그렇게 말해야지요."

"그건 너희들이 말하는 시간이고, 여기서는 이렇게 말한단다. 옅은 녹색, 밝은 녹색, 녹색, 짙은 녹색, 어두운 녹색. 나뭇잎 색이 어두운 녹색으로 변하면 저녁이 찾아오지. 자연의 일부로 살면 금방 알 텐데. 아직도 자연 속에서 떨어져 살고 있구나."

나는 추장 할아버지의 말뜻을 이해했는데 민수는 아직 이곳의 시간법을 알지 못한 모양이었다. 그렇다고 내가 추장 할아버지처럼 한 사물을 여러 단계의 색으로 모두 구별할 줄 아는 것은 아니었다. 여전히 시간을 나뭇잎 색으로 말하는 추장 할아버지가 신기할 뿐이었다.

—《베르그송이 들려주는 삶 이야기》 중에서

생각 쓰기

생각 쓰기

case 2 제시문 (가)를 바탕으로 하여 제시문 (나)의 푸네스의 기억을 설명하고, 이와 같은 기억에 대하여 자신의 생각을 비판적으로 논술하시오. (600자 내외)

가 "어차피 인간의 뇌에는 한계가 있기 때문에 모든 것을 다 기억할 수 없어. 만약 모든 것을 다 기억한다면 아마 인간의 뇌는 스무 살이 되기 전에 퇴화하기 시작할 거야. 살아있는 생물은 무생물과 달리 과거를 현재 안에 담고 있어. 과거를 현재에 담고 있는 것이 기억이지. 만일 생물에게 기억이 없으면 생물의 삶은 엉망진창이 될 거야. 물론 생물의 종에 따라서 기억력의 차이는 있겠지만."

내 주변에는 왜 이리 똑똑한 사람들이 많은 걸까? 형들이 대단해 보였다.

"프랑스 철학자 베그르송이라고 들어 봤어?"

"베르그송은 우리 집 고양이 이름인데요."

누나가 음료수를 마시며 아무렇지도 않게 말했다. 똑똑한 거 맞아? 무식한 누나. 창피했다.

"시간을 자연과학적 시간과 순수시간으로 나눠서 말한 철학자요."

엄마와 누나가 깜짝 놀라며 나를 쳐다보았다. 이쯤이야. 나는 아빠에게 윙크를 보냈다.

"대단한 걸. 그걸 아는 네 또래는 아마 없을 거야. 베르그송은 기억도 습관적 기억과 순수기억으로 나눴어. 습관적 기억은 일종의 습관을 말하는 거야. 우리는 대부분 습관적 기억에 의존해 생활하지. 매일 아침 일정한 시간에 일어나서 밥 먹고 준비해서 학교에 가지. 학교 가서 공부하고 공부가 끝나면 다시 집으로 오지. 습관적 기억은 유기체의 몸에 고정된 습관이야. 우리가 현재에 적응하면서 살아가는 것은 다 습관적 기억 때문이지."

"습관적 기억은 기계적 활동을 뜻한단다. 그러니까 유기체 생물들이 모두 가지고 있는 습관적 기억은 자극 반응의 구조를 가지고 있지."

아빠가 형의 말에 보충 설명을 하자 누나의 눈빛이 달라졌다. 홀쭉이 형이 계속해서 말했다.

"베르그송은 순수기억에 관해 이런 말을 했어. '인간은 다른 생물들과 함께 습관적 기억을 가지고 있다. 그러나 인간은 다른 생물들이 가지지 않은 또 다른 기억을 가지고 있는데 그것을 순수기억이라고 한다. 우리들은 일정한 자극에 대해서 반응하는 기계적 기억 이외에 우리들 스스로가 간직했다가 회상하는 기억이 있다' 라고."

— 《베르그송이 들려주는 삶 이야기》 중에서

나 푸네스는 포도나무에 달려 있는 모든 잎사귀들과 가지들과 포도알들의 수까지도 기억하는 사람이었다. 그는 1882년 4월 30일 새벽 남쪽 하늘에 떠 있던 구름들의 형태를 기억하고 있었다. 그는 기억 속에서 그 구름들, 단 한 차례 본 스페인식 장정의 어떤 책에 있던 줄무늬들, 그리고 케브라초 무장 항쟁이 일어나기 전날 밤 네그로 강에서 노가 일으킨 물결들의 모양을 비교할 수 있었다.

그는 내게 말했다.

"나 혼자서 가지고 있는 기억이 세계가 생긴 이래 모든 사람들이 가졌을 법한 기억보다 많을 거예요."

그는 또한 말했다.

"나의 기억력은 마치 쓰레기 하치장과도 같지요."

푸네스의 풍요로운 세계에는 단지 거의 즉각적으로 인지되는 세부적인 것들밖에 없었다.

— 호르헤 보르헤스, 《기억의 천재 푸네스》 중에서

생각 쓰기

생각 쓰기

case 3 제시문 (가)에서 누나가 주장하는 생각의 방식과 제시문 (나)에서 강물을 바라보는 생각의 방식이 어떤 차이를 가지는지를 밝히시오. 다음으로 이러한 방식 중에서 어떤 방식이 인간에게 더 필요한지에 대하여 자신의 생각을 논술하시오. (600자 내외)

가 "오늘날 이렇게 문명이 발달한 것은 모두 인간의 지성 덕분이지. 옛날 조상들에 비해 우리는 정말 편리한 세상을 살아가고 있어. 그런데 무엇이 문제냐고?"

아빠가 누나와 나를 번갈아 보며 누나와 똑같은 질문을 하셨다.

"자, 너희들은 내가 다음처럼 물을 때 무엇이라고 답하겠니? 인간이 가지고 있는 고유한 개성은 어디에서 찾지? 돈, 권력, 명예가 인간의 가치를 대신하고 있는 요즘, 우린 인간의 가치를 어디서 찾아야 할까?"

누나와 나는 아빠의 물음에 아무런 대답도 못한 채 갑판 위에서 피어오르는 아지랑이만 바라보았다. 그때 할아버지가 말씀하셨다.

"사람들이 지성의 영화적 방법, 즉 딱딱한 논리적, 수학적 방법에 의해 개성을 상실한 채 편리함만을 찾은 결과, 현대사회는 분명 최첨단 물질문명을 누리게 되었지. 그런데 이런 현대를 바라보는 내 마음은 가끔씩 허무하단다."

할아버지는 그야말로 첨단과학의 중심에서 그것을 이끌어나가시던 분인데, 지금 와서 허무하시다고 하는 걸 보니 왠지 내 가슴이 울렁거리는 듯 울컥하는 듯 이상했다. 할아버지의 옆모습이 무척 슬퍼 보였다.

"그러나 사람은 또 직접 체험이나 직관으로 생동하는 삶을 창조할 수 있는 존재가 아니니? 한편으로 나는 인간의 그런 면을 또 믿는단다."

그리고 할아버지는 우리를 보고 환하게 웃었다.

"아직 나는 아빠나 할아버지께서 말씀하신 직관에 대해서 확실히 모르겠어. 역시 나에게는 그런 것보다는 합리적 사고 쪽이 더 맞나 봐. 이미 발달한 문명을 퇴보시킬 수는 없잖아. 지성이 그렇게 부정적이라면 왜 많은 사람들이 과학에 매달리겠어? 아빠 얘기를 듣고 있으니 과학에 매달리는 사람들이 어리석게 느껴져. 또 할아버지는 우주선을 만드시던 최첨단 과학자셨잖아."

누나가 발끈해서 말했다.

—《베르그송이 들려주는 삶 이야기》 중에서

나 그는 애정을 담은 눈길로 흘러가는 강물 속을 들여다보았다. 속이 맑게 들여다보이는 초록빛 강물은 온갖 불가사의한 무늬를 만들어내며 수정처럼 빛나고 있었다. 찬연히 빛나는 진주들이 물속 깊은 곳에서 솟아올라 물거품을 내며 거울 같은 수면 위를 헤엄쳐 다녔다. 그 물거품 속에는 하늘의 푸른빛이 고스란히 담겨 있었다.

강물은 초록색, 하얀색, 투명한 하늘색, 그런 형형색색의 눈으로 그를 바라보고 있었다. '나는 이 강물을 얼마나 사랑하는가! 이 강물은 나를 얼마나 황홀하게 해주는가! 나는 이 강물에 얼마나 감사하고 있는가!' 그는 마음속으로부터 새로이 깨어난 음성이 자신을 향해 말하는 것을 들었다. 그 음성은 이렇게 말하고 있었다.

'이 강물을 사랑하라! 그 곁에 머물러라! 강물로부터 배우라!' 그는 강물의 가르침을 배우기 위해 강물이 들려주는 말에 귀를 기울이기로 했다. 강물의 비밀을 이해할 수 있다면, 더 많은 비밀, 나아가 모든 비밀까지도 이해할 수 있으리라는 생각이 들었다.

— 헤르만 헤세, 《싯다르타》 중에서

생각 쓰기

생각 쓰기

실전 논술

예시 답안

case 1 제시문에서는 인간이 느끼는 서로 다른 시간들에 대하여 보여 주고 있다. 하나는 규칙적으로 나누어진 물리적 시간이고, 다른 하나는 자연 속에서 혹은 인간의 정신과 마음에 의해서 움직이는 시간이다. 규칙적으로 나누어진 시간 속에서 인간은 규칙적으로 살아가야만 한다. 반면, 자연 속에 존재하는 시간 속에서는 자신이 살아가고 있는 삶을 느끼면서 여유롭게 살아갈 수 있다.

현대사회에서는 (가)에 나오는 시간에 따라서 살아가야만 한다. 모든 것은 시간이 정해놓은 규칙에 따라 움직이며, 인간의 삶 역시 이러한 규칙에 따라 움직인다. 인간이 시간을 지배하는 것이 아니라, 거꾸로 시간의 지배를 당하는 것이다. 그 속에서 삶에 대한 여유나 성찰은 찾기 힘들다. 자신의 삶을 행복하게 살기 위해서 시간의 지배에서 벗어나야 한다. 자신을 돌아보고, 삶의 여유를 즐기면서 어떻게 살아가야 할지를 고민하는 것이 필요하다. 인간이 삶을 사는 이유는 무엇엔가 쫓기기 위한 것이 아니라 삶 자체를 즐기면서 참다운 가치를 찾는 것이기 때문이다.

case 2 인간을 포함한 모든 생명체는 기억을 한다. 특히 동물들에게는 뇌가 있고, 이 뇌의 작용에 의해서 살아가게 된다. 하루하루 새롭게 무언가를 배워야 하는 것이 아니라, 이제까지 살던 방식대로 살 수 있는 것은 바로 '기억'을 할 수 있는 능력 덕분이다. 그런데 인간의 기억 능력에는 동물들과 다른 또 하나의 기억이 존재한다. 바로 '순수기억' 이라는 것이다. 베르그송은 이러한 인간의 순수기억이야말로 인간이 창조적으로 삶을 살아가게 하는 힘이라고 보았다. 그런데 (나)에 나오는 푸네스는 비상한 기억력을 가지고 있지만, 이것은 창조적인 힘을 가지지 못한 습관적 기억에 지나지 않는다. 모든 것을 다 기억하지만, 실제로는 아무것도 의미를 찾을 수 없는 것이다. 마치 컴퓨터가 뛰어난 정보저장능력을 가지고 있어도, 인간처럼 창조적인 활동을 할 수 없는 것처럼 말이다. 푸네스를 통해 알 수 있듯이, 습관적 기억이 아무리 많이 쌓인다고 해도, 그것은 창조적인 삶을 살아가는 데 있어 아무런 의미가 없다. 체험과 직관을 통하여 가지게 되는 순수기억에 의해 인간은 자신의 삶을 창조적으로 만들어갈 수 있다.

case 3

(가)에서의 누나가 주장하는 것과 같이 인간의 지성은 오늘날 우리가 누리고 있는 편안하고 안락한 삶을 가져다주었다. 이제까지와 같이 인간 사회가 발전하려면 지성의 합리적인 논리를 버려서는 안 된다. 하지만, 이러한 지성은 (나)에서처럼 강물을 통한 자연의 아름다움을 느끼지 못한다. 강물의 아름다운 색상이나 반짝이는 햇살은 논리적이고 합리적인 지성이 아니라 체험에 의한 직관을 통해서만 느낄 수 있기 때문이다. 직관을 통하여 느끼는 것들은 인간에게 세상에 대하여 사랑을 느끼게 해 주고, 행복을 가져다 준다.

오늘날 우리가 누리고 있는 물질문명은 합리적이고 논리적인 지성이 가져온 결과이다. 편안함과 안락함을 누릴 수 있지만 동시에 인간성의 소외 현상도 함께 가져왔다. 인간성의 소외는 타인을 사랑하지 않고, 불행하기 때문에 나타나는 것이다. 인간이 행복한 삶을 타인들과 더불어 누리기 위해서는 직관의 힘을 살려야만 한다. 이 힘을 통해 스스로의 삶을 창조적으로 이끌어 가야만 한다.

Abitur

철학자가 들려주는 철학이야기 067

공손룡이 들려주는 이름 이야기

저자_**박현정**
전남대학교 국어국문학과를 졸업하고, 조선대학교 대학원에서 국어교육학을 전공했다. 현재는 일산 대화중학교에서 교사로 재직하고 있으며《중학 교과서 속 논술》,《아비투어 철학논술 신채호 초급, 중급, 고급》,《아비투어 철학논술 박지원 초급, 중급, 고급》을 썼다.

배경 지식 넓히기

公孫龍

공손룡과 '이름'

공손룡 주요 개념 Ⅰ

1. 공손룡을 만나다

1) 공손룡의 삶

공손룡(公孫龍, BC 320? ~ BC 250?)은 중국 전국시대 조(趙)나라의 사상가이다. 그가 태어나고 죽은 날짜에 대해서는 명확한 기록이 없으나 조나라 무령왕 때부터 효성왕 때까지 살았던 것으로 미루어 보아, 대략 기원전 320년에서 250년경에 생존했을 것으로 추정할 뿐이다. 공손룡의 행적은 《장자》, 《여씨춘추》 등에서 찾아볼 수 있으며 저서로는 《한서예문지》에 열네 권이 있다고 전해지고 있지만 현재 전하는 것은 여섯 편에 불과하다.

공손룡은 제자백가 중 명가(名家)를 대표하는 철학자이다. 춘추전국시대(BC 8세기~BC 3세기)는 중국 역사상 가장 혼란했던 시기로 꼽힌다. 주(周)나라가 낙양으로 천도한 이후부터 진(秦)나라가 통일을 이룰 때까지, 그 사이에 많은 나라들이 우후죽순처럼 일어나고 또 망하면서 서로 패권을 다투던 시기였다.

춘추전국시대 당시에는 정치적 혼란 속에서 수많은 학파와 학자들이 자유롭게 자신의 사상과 학문을 펼쳤는데, 이를 제자백가(諸子百家)라고 한다. 말 그대로 여러 학자와 수많은 학파를 뜻한다. 우리가 잘 알고 있는 공자, 맹자, 노자, 장자와 같은 철학자들도 모두 이 시대에 활발하게 활동하며 사상과 철학을 펼쳤다. 그중 공자와 맹자는 유가(儒家)라고 하며 노자와 장자를 도가(道家)라고 한다.

공손룡은 명가(名家)라고 한다. 명가는 당시의 혼란을 명(名)과 실(實)의 불일치에서 비롯된 것으로 규정하였다. 따라서 명실합일(名實合一)을 주장하였다. 명실합일이란 명(名), 이름과 실(實), 실제 사물이 서로 일치해야 한다는 논리이다. 대표적인 철학자로 공손룡을 비롯하여 등석, 윤문, 혜시 등이 있다. 명가는 그 논리가 지나치다는 점에서 궤변학파로 불리기도 하지만, 동양의 논리학 발달에 공헌한 점에 대해서는 그 공로를 인정받고 있다.

2) 흰 말은 말이 아니다?

백마비마론(白馬非馬論)은 공손룡의 사상과 이론 중에서 가장 널리 알려진 이야기이다. 흰 말은 말이 아니다? 얼핏 들으면 말도 안 되는 이야기인 것 같다. 흰 말이 말이지 왜 말이 아닐까? 공손룡은 그 논리를 다음과 같이 증명해 보인다.

흰 말의 '희다'는 개념은 빛깔을 나타낸다. 그런데 '말'이라는 것은 모양을 가리킨다. 따라서 빛깔을 나타내는 개념의 말을 모양을 나타내는 말로 설명할 수 없으므로 '흰 말은 말이 아니다' 라는 결론이 나온다.

또한 말에는 여러 가지 빛깔이 있을 수 있는데 말에서 빛깔을 빼버리면 말 자체만 남게 된다. 거꾸로 말하면 흰 말이란 말에 흰 빛을 더한 것이므로 본래의 말과는 다른 개념이다. 따라서 흰 말을 그냥 말이라고 하는 것은 논리에 어긋난다는 이치이다. 어찌 보면 맞는 말 같기도 하고 어찌 보면 틀린 말 같기도 한 이 논리를 두고 사람들은 궤변이라고 말한다. 말로써 세상을 어지럽게 한다는 뜻이다.

하지만 공손룡이 이런 논리를 펼친 본래 의도는 모호한 말이나 비상한 말재주로 세상을 현혹시키려는 것이 아니었다. 오히려 모호하고 애매한 말과 표현의 문제점을 지적하고 있다. 다시 말해, '흰 말은 말의 일종이다' 라고 해야 가장 적확한 표현인 것을 '흰 말은 말이다' 라고 정확하지 못한 표현을 한 것을 지적하는 것이다. 세상의 혼란이 말과 실제 사물과의 괴리에서 비롯되었다고 주장했던 명가의 공손룡은 한 마디 말이나 짧은 표현이라고 할지라도 실제와 일치하는 정확한 표현이 중요하다는 점을 강조하려고 했던 것이다.

3) 단단한 돌과 흰 돌은 나눌 수 있다?

견백론(堅白論) 역시 일상생활에서 아무렇게나 쓰는 표현들에 대한 공손룡의 따끔한 지적이 돋보이는 이론이다. 견백론이란 단단하고 흰 돌을 나눌 수 있다고 보는 논리이다.

여기에 단단하고 흰 돌이 있다고 가정하자. 이 돌은 하나의 돌이다. 그런데 공손룡의 주장에 따르면 이 돌은 하나의 돌이 아니라 단단한 돌과 흰 돌, 이렇게 둘로 나누어진다. 왜냐하면 '희다' 는 것은 눈으로 보고 아는 것이고, '단단하다' 는 것은 손으로 만져 보고 아는 것이다. 따라서 눈으로는 단단한 것을 알 수 없고 손으로는 흰 것을 알 수 없다.

또 '희다' 는 것과 '단단하다' 는 것은 돌에만 한정되는 개념이 아니라 두루 쓰이는 보편적 개념이다. 그러므로 '희다' 와 '단단하다' 는 두 개념은 돌과는 별개이다. 즉, 실제로 희지만 단단하지 않은 것이 있고 단단하면서 희지 않은 것도 있다. 따라서 두 개의 개념을 하나로 묶어 정의하는 것은 옳지 않다.

공손룡의 이러한 논리들은 모두 논리적 설명을 통해 구체적인 사물의 개념을 명확히 규정하려는 노력에서 전개된 것이다.

4) 정명론(定名論)과 명실론(名實論)

정명(定名)이란, 이름을 바로 세운다는 말이다. 정명론을 주장하는 철학자들은 사회에서 언어가 하는 역할과 중요성에 초점을 맞추어, 사회 질서와 안녕을 위해서는 언어가 바로 서야 한다는 것을 강조한다.

정명을 강조한 철학자로는 우선 공자를 들 수 있다. 공자는 논어 〈자로편〉을 통해 정명의 중요성에 관한 논리를 펼쳤다. '정치를 하고자 할 때 무엇을 가장 먼저 할 것인가' 하는 자로의 물음에 공자는 서슴없이 이름을 바로잡는 것을 가장 먼저 하겠다고 말한다. 그 이유는 이름이 바르지 않으면 말에 순서가 없어지고, 말에 순서가 없으면 일이 이루어지지 않으며, 일이 이루어지지 않으면 예악(禮樂)이 일어나지 못하며, 따라서 형벌이 적절하게 시행되지 않고, 결과적으로 백성들이 혼란에 빠지게 된다는 이야기이다. 그러므로 연쇄적으로 일어나는 이러한 혼란을 일으키지 않기 위해서 가장 먼저 해야 할 일은 '이름을 바로 세워야 한다' 는 것이다. 공자는 정명을 '바른 정치를 위한 첫걸음' 으로 생각했다. 공자의 '군군 신신 부부 자자(君君 臣臣 父父 子子)' 는 '임금은 임금답게, 신하는 신하답게, 아비는 아비답게, 자식은 자식답게' 즉, 이름에 걸맞게 행동해야 한다는 정명의 의미를 가장 잘 표현해 주고 있다.

순자 역시 〈정명편〉을 통해 이름이 바르지 못하면 사회적인 폐단이 발생한다는 것을 밝혔다. 만약 명칭이 제대로 정해져 있지 않다면 명(名)과 실(實)이 엉키어서 분별이 흐려지게 된다. 그렇기 때문에 이름과 대상물을 정확하게 일치하여 구별을 분명히 해야 한다. 그러면 귀한 것과 천한 것의 구별이 명백해지고 같은 것과 다른 것이 정확하게 분별되어 마음에 병폐가 없고 일에도 실패하는 일이 없게 된다는 논리이다.

공자와 순자, 이 두 철학자는 모두 언어가 사회 질서 유지에 영향을 준다는 점에 초점을 맞추고 있다.

공손룡은 그러한 이론을 받아들이고 발전시켜 명실론(名實論)을 주장한다. 앞에서 논의되었던 백마비마론이나 견백론 역시 명실론과 같은 맥락에서 전개된 이론이다. 무엇보다 명확한 언어의 중요성을 강조하고 있다.

공손룡 주요 개념 Ⅱ

1. 궤변(詭辯)

'궤(詭)' 는 '속이다, 기만하다, 어기다, 위배하다' 는 뜻을 가진 한자이다. '변(辯)' 은 '말을 잘한다' 라는 의미를 가진 한자이다. 따라서 한자의 본래 의미로 이 낱말을 해석해 보면, 말을 잘 해서 상대를 속인다는 뜻이다. 국어사전에는 '상대편을 이론으로 이기기 위하여 상대편의 사고를 혼란시키거나 감정을 격앙시켜 거짓을 참인 것처럼 꾸며 대는 논법' 이라고 설명되어 있다. 보통 궤변은 얼른 들으면 옳은 것 같지만 실은 이치에 닿지 않는 말을 억지로 둘러대어 합리화시키려는 허위적인 변론을 일컫는 말이다. 논리학에서는 이치에 닿지 않는 변론을 가리킬 때 궤변(Sophism)이라고 하며 서양에서는 소피스트(Sophist)를 궤변학파라고 한다. 소피스트는 본래 '지혜로운 사람' 이라는 말에서 유래되었다고 하는데 훗날 그들은 지혜를 가르치는 것이 아니라 지혜로운 척하는 기술만을 가르쳤다는 이유로 궤변을 일삼는 무리라는 의미의 궤변학파로 불리게 되었다.

2. 군군 신신 부부 자자(君君 臣臣 父父 子子)

공자의 논어 안연편(顔淵編)에 나오는 말이다. 제나라의 경공이 공자에게 어떻게 하면 나라를 바로 다스릴 수 있느냐고 물었다. 그때 공자는 간결하게 다음 여덟 글자로 대답했다.

"군군 신신 부부 자자(君君 臣臣 父父 子子)."

'임금은 임금답게 신하는 신하답게 아비는 아비답게 자식은 자식답게'라는 이 말은 모든 사람들이 자신의 신분과 직책에 맞게 행동하는 것이 바른 나라로 가는 지름길이라는 뜻이다.

3. 한단지보(邯鄲之步)

邯 : 땅 이름 한, 鄲 : 조나라 서울 단, 之 : 의 지, 步 : 걸을 보

한단의 걸음걸이라는 뜻으로, 제 분수를 잊고 무턱대고 남을 흉내 내다가 이것저것 다 잃음을 비유하여 이르는 말.

사자성어 한단지보의 고사는 공손룡과 관련이 있다. 스스로 학문과 변론이 당대 최고라고 자부하던 공손룡은 장자의 높은 명성을 듣게 된다. 공손룡은 장자와 지혜를 견주어 보고 싶은 마음에 장자의 선배인 위모라는 사

람에게 가서 장자의 도에 대해 알고 싶다고 말한다. 그런 공손룡에게 위모는 우물 안 개구리가 밖의 세상을 볼 수 없다고 말하며 가느다란 대롱구멍으로 하늘을 보고 송곳을 땅에 꽂아 그 깊이를 재는 꼴이라고 비웃었다.

그러면서 다음과 같은 말을 남긴다.

"자네는 저 수릉(壽陵)의 젊은이가 조(趙)나라의 서울인 한단(邯鄲)에 가서 그곳의 걸음걸이를 배웠다는 이야기를 듣지 못했는가? 그는 한단의 걸음걸이를 제대로 배우기도 전에 본래의 걸음걸이마저 잊어버려 엎드려 기어서 돌아갈 수밖에 없었다는 걸세. 지금 자네도 장자에 이끌려 여기를 떠나지 않고 있다가는 그것을 배우지도 못할 뿐만 아니라 자네 본래의 지혜를 잊어버리고 자네의 본분마저 잃게 될 걸세."

한단지보는 자신의 능력을 자만하면서 남과 무턱대고 견주려고 한다면 자신의 것마저 잃게 된다는 경고를 하고 있다.

4. 베니스의 상인(The Merchant of Venice)

《베니스의 상인》은 영국의 극작가 셰익스피어(William Shakespeare, 1564~1616)의 희곡 작품이다. 셰익스피어는 《로미오와 줄리엣》, 《햄릿》, 《맥베스》 등으로 널리 잘 알려진 작가이다. 영국인들이 그들의 식민지였던 인도와도 바꾸지 않겠다고 말했을 정도로 소중하게 여기는 작가다. 《베니스의 상인》은 그의 대표적인 희극*이다. 1956년경에 쓰인 작품으로 이탈리아의 옛 이야기에서 비롯된 작품이다.

베니스의 상인 안토니오는 연인 포셔에게 구혼하기 위해 여비를 마련하려는 친구 바사니오를 위해 샤일록에게 배를 담보 잡히고 돈을 빌린다. 그리고는 만약 돈을 갚지 못한다면 살 1파운드를 제공한다는 증서를 써 준다. 그 후 안토니오는 결국 돈을 갚지 못하고 살 1파운드를 내주어야 하는 위기에 처하게 된다. 이에 바사니오의 연인 포셔가 남장을 하고 법정의 재판관이 되어 재판을 하게 된다. 무조건 증서대로만 해야 한다고 우기는 악독한 샤일록에 맞선 포셔는 증서대로 살 1파운드를 떼어 가되 피를 흘려서는 안 된다는 판결을 내린다. 결국 샤일록은 재판에 패소하여 재산을 몰수당하게 된다는 이야기다.

* 희곡은 연극의 대본을 말하며 그 내용에 따라 희극과 비극, 희비극으로 나뉜다. 희극은 즐거움을 주는 행복한 결말로 맺는 내용이며 비극은 패배하는 인간의 불행한 모습을 보여 준다. 희비극은 두 가지 요소가 함께 드러난다. 셰익스피어는 4대 비극 《햄릿》, 《오셀로》, 《리어왕》, 《맥베스》와 4대 희극 《베니스의 상인》, 《한여름 밤의 꿈》, 《뜻대로 하세요》, 《말괄량이 길들이기》로 유명하다.

5. 언어의 역사성과 사회성

언어는 생각이나 느낌을 음성이나 문자로 전달하는 수단이다. 동물과 달리 인간만이 가지고 있는 특성 중의 하나다. 언어는 사람들 사이의 의사소통의 도구로써 아주 중요한 역할을 하고 있다. 그런데 이 언어는 사회성과 역사성이라는 특성을 가지고 있다.

역사성이란 언어가 시간의 흐름에 따라 변한다는 특성이다. 사회가 발달함에 따라 새로운 사물이나 개념이 생겨나게 되면 그에 알맞은 새로운 언어가 생겨난다. 또 쓰이던 대상이나 개념이 없어지게 되면 그것을 표현하던 언어는 자연스럽게 사라지거나 그 의미가 변화하게 된다. 또는 같은 대상을 표현하던 말들이 서로 경쟁하다가 어느 한 쪽이 많이 쓰이게 되면 그 한 쪽만 남게 되고 다른 한 쪽은 사라지기도 한다. 그렇게 언어는 여러 가지 요인에 의해 생겨나고 변화하고 사라지게 되는 특성을 갖는데 이를 언어의 역사성이라고 한다.

또한 언어는 사회 구성원들 사이의 약속이라는 특성을 가지고 있다. 어떤 한 사회의 언어는 그 사회 구성원들이 그렇게 사용하기로 정한 약속이다. 따라서 그 약속에 따라 언어를 사용하지 않고 개인이 마음대로 바꾸어 사용한다면, 언어가 가진 의사소통의 기능을 다할 수 없다. 언어의 사회성이란 언어는 사회적 약속이기 때문에 개인이 마음대로 바꿀 수 없다는 특성을 말한다.

따라서 언어는 변할 수 있지만 그것은 오랜 시간을 두고 사회 구성원들 사이의 암묵적인 약속에 따라 변화하게 되는 것이지, 개인의 취향에 따라 어느 한 순간에 바꿀 수 없는 특성을 가지고 있다.

실전 논술

논술 문제

case 1 (가)와 (나)가 공통적으로 강조하고 있는 생각을 찾고, (가)에 나타난 인터넷 댓글의 문제점을 지적하시오.

가 "난 내 이름이 이상하다는 생각 안 했었거든. 부모님이 지어 주신 좋은 이름이라고 여겼는데 이번 일을 겪으면서 내 이름이 진짜 그렇게 놀림당해야 하는 건지……. 그런 생각이 들더라. 호랑이가 그렇게 이상한 이름인 거야?"

랑이가 거의 울 것 같은 얼굴로 말했습니다. 에잇, 나쁜 사람들! 착하고 소심한 내 친구를 이렇게 슬프게 만들다니. 나는 누군지도 모르는 그 사람들에게 막 화가 났습니다.

"사람들이 이름에 대한 의미를 잘 몰라서 그래. 동물 호랑이는 호랑이고, 친구 호랑이는 다른 호랑이인데 말이야. 공손룡도 그런 얘기를 했거든."

나는 별다른 위로의 말을 찾을 수 없어서 속으로만 식식거리고 있는데, 호사가 짐짓 진지하게 말을 꺼냈습니다.

"뭐? 공손룡? 공손한 용이라는 뜻이야?"

"야, 그렇게 예의 바른 용이 있겠냐? 공손한 용이라니 말도 안 돼."

호사의 진지함은 상관없다는 듯이 순신이와 나는 키득거리며 농담을 했습니다. 세상에 공손한 용이라니, 웃기지 않아요? 그런데 공손룡은 사람 이름인가?

"너희들 무식한 건 알고 있었지만 책 좀 읽어라, 응? 옛날 중국 조나라 때 이미 서양의 논리학과 같은 이론을 생각했던 분이지. 공손룡은 '이름은 실제 사물을 가리키는 것이다' 라고 했거든. 그러니까 책상은 책상, 종이는 종이, 개동이는 개동이, 이렇게 이름이 곧 실제 사물이라고 했던 거지."

역시나 아는 것 많은 변호사님이 척척 설명을 해 주네요. 호사는 언제 그런 걸 다 외우고 다니는지, 나는 죽었다 깨나도 저렇게 못할 거예요.

"아, 그러니까 그 손룡 아저씨는 이름의 의미가 중요하다고 한 거구나?"

"으이그, 이름이 손룡이 아니라 성이 '공손', 이름이 '룡', 그래서 '공손룡' 이라고. 순신이 네가 한 말은 맞는데, 이름이 중요하다면서 남의 이름도 바꾸고 그러냐?"

순신이를 면박 주면서 호사가 또 잘난 척을 했습니다. 저렇게 남을 무안하게 할 때는 얄미워진다니까요. 모를 수도 있는 거지 뭐, 안 그래요?

"공손룡은 '이름에는 사람의 명분과 사물의 명칭이라는 뜻' 이 담겨 있다고 했거든."

"아, 어려운 말 좀 쓰지 마. 명분은 뭐고 명칭은 또 뭐야?"

"명분은 이름에 맞는 행동이나 도리를 해야 한다는 거야. 명칭은 이것과 저것을 구분하기 위해 부르는 말, 이름 같은 거지. 제자백가 시대는 전쟁이 자주 일어나고 사람들도 많이 죽었대. 그리고 새로운 신분이랑 사물들이 계속 나타나니까 사람들이 혼란스러웠던 거지. 그래서 명칭을 제대로 정립하기 위해서 그런 주장을 한 거야. 우리도 마찬가지야. 호랑이와 호랑이는 분명히 다른 건데, 마치 동물 호랑이와 우리 친구 랑이가 같은 것인 양 이상한 얘기나 써 놓고 말이야. 이건 논리적으로도 말이 안 되는 일이지."

언제나 논리를 강조하고 좋아하는 호사가 '논리적' 이라는 말에 유난히 힘을 주며 말했습니다. 얄미운 구석도 있지만 똑 부러지게 맞는 소리 하는 건 인정해 줘야겠지요.

"그러네. 공손한 용하고 공손룡이 다른 것처럼. 안 그래?"

순신이가 고개를 끄덕거리며 대답했습니다.

"아, 알 것 같아. 그러니까 인터넷에 이상한 댓글이 있어도 그건 내 얘기가 아닌 거구나. 사람들이 이름을 바로 세우지 못하고 나 호랑이를 엉뚱하게 다른 걸로 생각하는 거니까 말이야."

—《공손룡이 들려주는 이름 이야기》 중에서

나 자로가 말했다. "위나라 임금이 선생님을 기다려서 함께 정치를 하고자 한다면, 선생님께서는 장차 무엇을 먼저 하시겠습니까?" 선생님께서 말씀하셨다. 반드시 이름을 바로잡는 것(正名)을 먼저 하겠다. 자로가 말했다. "아니 이럴 수가! 선생님의 우원(迂遠)함이여, 어찌 이름을 바로잡겠다는 말씀인가요?" 선생님께서 말씀하셨다. "거칠도다 자로여, 군자는 자기가 알지 못하는 것에 관해서는 판단을 유보하는 법이다. 이름이 바르지 않으면 말에 순서가 없게 되고, 말에 순서가 없게 되면 일이 이루어지지 않는다. 일이 이루어지지 않으면 예악(禮樂)이 일어나지 못하며, 예악이 실행되지 못하면 형벌이 적절하게 시행되지 않는다. 형벌이 적절하게 시행되지 않으면 백성들이 어찌할 바를 모르게 된다. 그러므로 군자는 이름을 바로 하면 말을 순서 있게 할 수 있고, 말을 순서 있게 하면 반드시 시행할 수 있을 것이다. 군자는 그 말에 구차한 바가 없을 뿐이다."

— 《논어(論語)》 자로(子路)편 중에서

생각 쓰기

생각 쓰기

case 2 (가)의 백마비마론과 (나)의 포셔가 샤일록의 욕심을 꺾기 위해 사용한 방법을 찾아, 두 생각을 이끌어 내는 방법의 공통점을 찾아 설명하시오.

가 "응, 공손룡이 말한 백마비마론의 본래 의도는 유개념과 종개념을 구분하는 거였어. 예를 들면 우리는 '오렌지' 와 '딸기' 의 명칭을 구분하면서도 '과일' 이라는 명칭으로 포괄해서 쓸 때가 있잖아. 여기서 '과일' 은 유개념이라고 하고, '오렌지' 와 '딸기' 는 종개념이 되는 거지. 또 다른 예로 '사자' 와 '호랑이' 라는 명칭을 구분하면서 '짐승' 이라고 쓸 때가 있어. 여기서 '짐승' 은 유개념이고 '사자' 와 '호랑이' 는 종개념이 되는 거지."

내가 퉁명스럽게 말하는지 어쩐지는 호사에게 중요한 일이 아닌가 봐요. 가르쳐 주는 거 좋아하는 호사는 신이 나서 말했습니다.

"그럼 더 위에 있고 아래에 있고 그런 거겠네? 사람이나 짐승, 이런 게 위에 있는 개념 아니야?"

순신이가 골똘히 생각에 잠겨 말했습니다. 까불대는 순신이지만 이렇게 가끔은 아주 진지해 보일 때가 있다니까요. 호사와 둘이 죽이 잘 맞네요. 흥!

"맞아, 네 말대로 유개념은 상위개념이고 종개념은 하위개념이지. 따라서 '오렌지' 와 '딸기' 는 모두 '과일' 에 포괄되므로 '오렌지는 과일이다', '딸기는 과일이다' 라고 하는 것이 당연한 일이야. 하지만 경우에 따라서 '오렌지' 와 '과일', '딸기' 와 '과일' 이라는 명칭을 구분해야 할 때가 있어. 예컨대 '저기 과일이 있다' 라고 하는 것과 '저기 오렌지(딸기)가 있다' 라는 표현은 다른 거거든."

"그렇지, 다르지. '5학년 4반에 애들이 있다' 는 말과 '5학년 4반에 팽개동이 있다' 는 말은 당연히 다르니까."

나도 모르게 호사의 말에 빠져 들어서 그만 맞장구를 치고 말았습니다. 암튼 호사는 귀를 솔깃하게 하는 말재주를 가졌다니까요. 괜히 변호사님이겠어요.

"바로 그거야. 공손룡이 말한 '흰말은 말이 아니다' 는 말은 결국 유개념과 종개념을 구분해야 한다는 거지. 즉, '흰말' 은 '검은 말' 등과 함께 '말' 에 포함되기는 해. 하지만 경우에 따라 '흰 말' 과 '말', '검은 말' 을 구분해야 한다는 거야. 예를 들어 마구간에 말들이 많이 묶여 있을 때 '흰 말(또는 검은 말)을 타고 싶다' 고 하는 것과 그냥 '말을 타고 싶다' 는 것은 다른 것이니까. 공손룡의 백마비마론은 '결국 흰 말은 말과 다르다, 구분된다' 는 표현으로 이해해야 하는 거지."

호사의 말을 듣고 보니 그 뜻을 알 것 같았습니다. '흰 말과 말을 구분해야 정확한 의미가 된다' 그런 거 아니겠어요?

"흰 말이 왜 말이 아니냐면? '말' 은 어떤 형체를 가리키는 것이잖아. 그런데 '희다' 는 것은 빛깔을 가리키는 것이잖아. '백마' 는 뭐겠니? '말' 이란 형체 위에 '흰' 색깔을 더한 거잖아. 그러니까 원래 형체와 다르다는 거야. 만일 어떤 사람이 말을 원한다면 누런 말, 검은 말 등 여러 종류의 말을 가져다 줄 수 있지만, 그 사람이 흰 말을 원한다면 누런 말이나 검은 말은 줄 수 없다는 거지. 그러므로 백마는 말이 아니야. 논리적으로 본다면 부분은 전체와 같지 않음을 뜻한다 할 수 있지."

—《공손룡이 들려주는 이름 이야기》 중에서

나 포셔 : 바로 저 상인의 살 1파운드가 그대의 것이오. 이 법정이 그걸 인정하고 법이 보장하오.

샤일록 : 과연 공정한 판사님이시다!

포셔 : 그대는 살을 저 사람의 가슴에서 잘라 내도 좋소. 법이 인정하고 법정이 허락하겠소.

샤일록 : 박식한 판사님, 감사합니다. 자, 판결이 났다. 각오해라. (칼을 빼 들고 앞으로 나온다.)

포셔 : 잠깐, 기다리시오. 이 증서엔 피는 단 한 방울도 당신에게 준다는 말이 없소. 여기에는 '살 1파운드' 라고 분명하게 적혀 있소. 증서대로 살을 1파운드만 떼어 가시오. 다만, 살을 떼 내면서 이 상인에게 피를 한 방울이라도 흘리게 한다면, 그대의 토지와 재산을 베니스의 법률에 의하여 몰수할 것이오.

그라시아노 : 오, 공명정대한 판사님이시다! (샤일록에게) 들었느냐?

샤일록 : 이게 법인가요?

포셔 : (법전을 들어 보이며) 그대가 직접 법조문을 들여다보시오. 그대는 정의를 고집했으니, 그대가 원하는 대로 정의롭고 엄격한 재판을 받을 것이오.

그라시아노 : 오, 박식한 판사님이시로다! 현명한 판사님!

샤일록 : 아까 그 제안을 받아들이겠습니다. 증서에 기록되어 있는 금액의 세 배를 받고, 저 상인을 풀어주겠습니다.

바사니오 : 옜다, 돈! 여기 있다.

포셔 : 잠깐! 샤일록이 받는 건 정의의 판결뿐이오. (법정을 둘러보며) 조용히 하시오. 증서에 적힌 것만 받도록 허락하겠소.

그라시아노 : 어떠냐, 나쁜 놈아! 공정한 판사님이시로다!

포셔 : 어서 살덩이를 떼어 낼 준비를 하시오. 피는 한 방울도 흘려서는 안 되오. 그뿐만 아니라, 살을 정확히 1파운드만 떼어 내어야 하오. 1파운드보다 많거나 적으면 안 되오. 그보다 무게가 가볍거나 무서워서 저울대가 불과 머리카락 한 올만큼이라도 기울어진다면 그대를 사형에 처하고 그대의 전 재산을 몰수할 거요.

그라시아노 : 명판사님께서 돌아오셨다. 샤일록, 이 나쁜 놈아! 꼼짝 못하게 되었구나.

포셔 : 어찌하여 주저하는가? (샤일록에게) 어서 가져가시오.

샤일록 : (울먹이는 목소리로) 원금만 받고 가게 해 주십시오.

바사니오 : 돈은 준비돼 있다. 옜다, 가져가라.

포셔 : 저 사람은 이 공개 법정에서 이미 그걸 거절했소. 그러니까 증서대로 정당한 담보물만 주면 그만이오.

샤일록 : 원금만이라도 받을 수 없겠습니까?

포셔 : 그대가 받을 수 있는 것은 오로지 증서에 적혀 있는 것뿐이오. 살 1파운드뿐이란 말이오. 그것도 그대의 생명을 걸고서.

샤일록 : 제기랄, 마음대로 하시오! 더 이상 엉터리 재판에는 응하지 않겠소. (돌아선다.)

— 초등학교 《국어 읽기 5-1》, 〈베니스의 상인〉 중에서

생각 쓰기

생각 쓰기

case 3 (나)에 등장하는 '그 남자' 가 무엇을 잘못하고 있는지를 설명하고 (가)와 (나)를 바탕으로 언어의 기능에 대해 설명하시오.

가 우리가 사용하는 '이름' 에는 사람의 명분(신분)과 사물의 명칭이라는 뜻이 담겨 있어요. 따라서 '이름을 바로 잡는다' 는 것에도 두 가지 뜻이 있죠. 즉, '사람의 명분을 바로 잡는다' 는 것과 '사물의 명칭을 바로 잡는다' 는 것이에요. 그렇다면 '바로 잡는다' 는 것은 무슨 뜻일까요? 이를 위해서는 당시 제자백가의 생각을 살펴볼 필요가 있어요.

공통적으로 첫째, 혼란스러운 정치와 사회에 따른 신분 문제 둘째, 사물의 급속한 증가에 따른 명칭 혼란의 문제에 대한 원인을 알아내고 대안을 찾고자 했던 사람들이었어요. 따라서 '바로 잡는다' 는 것은 당시 덕이 아니라 힘과 명분에 따른 신분 혼란을 해결하기 위한 것이었어요. 그리고 늘어나는 사물의 명칭과 실제 사물 사이에 동떨어져 있는 느낌을 해소하기 위함이에요. 따라서 정명론은 먼저 명분에 해당하는 덕이 일치되어야 한다는 것이고, 다음으로는 명칭과 실제 사물이 일치되어야 한다는 것이에요. 여기서 명이 명분이나 명칭의 뜻이라면 그에 대응하는 것은 덕과 사물이 돼요. 결국 '바로 잡는다' 는 뜻은 명과 실의 일치를 말한답니다.

명가는 특히 명칭과 실제 사물의 일치에 관심을 가졌던 학파에요. 공손룡은 '이름은 실제 사물을 가리키는 것이다' 라는 명확한 정의를 하고 있으며, 이름(명)과 실(실제사물)이 일치하는 것을 정명이라고 하고, 이에 위배되는 것을 광거라고 지칭했어요.

— 《공손룡이 들려주는 이름 이야기》 중에서

나 "언제나 똑같은 책상, 언제나 똑같은 의자, 똑같은 침대, 똑같은 사진이야. 그리고 책상은 책상이라고 부르고, 사진은 사진이라고 부르고, 침대는 침대라고 부르지. 또 의자는 의자라고 부른단 말이야. 그런데 도대체 왜 그렇게 불러야 하는 거지?"

프랑스 사람들은 침대를 '리' 라고 하고, 책상을 '타블', 그림을 '타블로', 그리고 의자는 '쉐즈' 라고 부른다. 그렇게 부르면서도 자기네들끼리는 서로 다 알아듣는다. 그리고 중국 사람들도 우리와는 다른 이름을 사용하는데도 자기네들끼리는 말이 통한다.

"왜 침대를 사진이라고 하면 안 되지?"

그 남자는 이렇게 생각하면서 미소 지었다. 그리고는 껄껄껄 웃기 시작했다. 옆방 사람이 벽을 두드리며 "거 좀 조용히 합시다" 하고 고함을 지를 때까지 그는 웃고 또 웃었다.

"이제 모든 것이 달라질 거야."

그는 이렇게 외치면서, 이제부터 침대를 '사진' 이라고 부르기로 했다.

"피곤하군. 이제 사진 속으로 들어가야겠어." 라고 말하고는 침대 위에 누웠다.

그러고는 아침마다 한참씩 사진 속에 누운 채로 '이제부터 의자를 뭐라고 부를까' 고심했다. 그러다가 의자를 '시계' 라고 부르기로 했다.

그러니까 그는 아침에 '사진' 에서 일어나 옷을 입고, '양탄자' 앞에 놓인 '시계' 에 앉게 된 것이다. 곧 그는 방 안에 있는 다른 물건들을 무엇이라고 불러야 할지

곰곰이 생각하게 되었다. 그 결과 다음과 같이 부르기로 했다.

침대는 사진이라고 불렀다.

책상은 양탄자라고 불렀다.

의자는 시계라고 불렀다.

신문은 침대라고 불렀다.

거울은 의자라고 불렀다.

시계는 사진첩이라고 불렀다.

옷장은 신문이라고 불렀다.

양탄자는 옷장이라고 불렀다.

사진은 책상이라고 불렀다.

그리고 사진첩은 거울이라고 불렀다.

(……)

그러나 얼마 지나지 않아 자기 언어로 번역하는 일이 힘들어졌다. 왜냐하면 옛날에 쓰던 원래의 언어를 거의 잊어버렸기 때문이다. 그래서 그는 파란 공책에서 원래의 단어를 찾아보지 않으면 안 될 정도가 되었다. 그러자 다른 사람들과 이야기하는 것이 두려워졌다. 다른 사람들과 이야기를 하려면, 사람들이 어떤 물건을 어떻게 부르는지 한참 동안 생각해 보아야만 했기 때문이다. 그래서 그는 다른 사람들이 이야기하는 것을 듣고 있으면 도저히 웃음을 참을 수 없을 지경에 이르렀다.

누군가가 "내일 선생님도 축구 보러 가실 건가요?" 하고 말하면, 그는 큰 소리로 웃을 수밖에 없었다.

"벌써 두 달째 계속 비가 내리고 있군요"라든가 "제 삼촌이 미국에 계세요"라는 말도 우습기는 마찬가지였다. 왜냐하면, 그는 이 모든 말들을 이해할 수 없었기 때문이다.

— 중학교 《국어 2-1》, 〈책상은 책상이다〉 중에서

생각 쓰기

생각 쓰기

실전 논술

예시 답안

case 1

1. 공손룡은 이름이 곧 사물이라고 주장합니다. 이것은 이름과 사물이 일치해야 한다는 것을 강조한 표현입니다. 공손룡이 살았던 시대는 정치적으로 매우 혼란한 시대였습니다. 당시의 학자들은 사회가 혼란에 빠진 원인을 규명하고 그 해결책을 찾는 데 주력하였습니다. 그중 공손룡은 그 혼란의 원인을 사물과 명칭이 정확하게 일치하지 않는 데에서 온다고 지적하였습니다. 명칭 즉, 언어가 바로 서야 한다는 점을 강조하고 있는 것이지요.

(나)의 공자 역시 정명이라 하여 이름을 바로잡는 것이 모든 일의 최우선이라고 강조합니다. 이름이 바로 서면 백성들이 안정을 되찾을 수 있다는 생각은 정치에 있어서 정명의 중요성을 강조한 표현입니다.

따라서 (가)와 (나)는 모두 언어의 중요성을 강조하고 있습니다. 그런데 최근 우리 사회는 언어를 바로 세우지 못하여 사회의 혼란을 야기하는 경우가 많습니다. 인터넷 댓글과 같은 것이 바로 그러한 예입니다. 인터넷은 서로 상대방을 보지 못하는 상황에서 익명성이 보장되기 때문에, 일부 사람들은 사실이 아닌 것을 마치 사실인 것처럼 쓰곤 합니다.

이렇게 사실에 근거하지 않은 악성 댓글은 공손룡의 논리대로라면 언어와 사물(어떤 현상을 모두 포함)이 일치하지 않는 경우입니다. 그럴 경우 공자나 공손룡이 주장했듯이 사회의 혼란을 야기하게 됩니다. 실제로 우리 사회가 사실에 근거하지 않은 악성 댓글 때문에 혼란을 겪는 일은 주변에서 쉽게 찾아볼 수 있습니다. 비록 그것이 악의가 없는 장난에 불과했더라도, 사실과 일치하지 않는 내용이나 언어는 사회의 혼란을 야기하게 마련입니다. 따라서 사실이 아닌 허위나 과장된 내용을 가지고 인터넷에 올리거나 글을 쓰는 행위는 삼가야 합니다.

case 2 재판관 포셔는 빌려준 돈을 갚지 않을 경우 살 1파운드를 떼어 내겠다는 증서를 그대로 시행하려는 잔인한 샤일록을 응징하려고 합니다. 그리고는 원금도, 원금의 세 배도 필요 없고 증서에 있는 대로 오로지 살 1파운드만을 원한다는 샤일록에게 그렇게 하라고 판결을 내립니다. 단, 증서에 있는 대로 살 1파운드만을 허락하며, 그 과정에서 한 방울의 피라도 흘리게 한다면 그것은 증서에 없는 내용이므로 엄히 다스리겠다고 엄포를 놓습니다. 증서에 있는 말을 강조하며 잔인하게 굴었던 샤일록은 오히려 그 말 때문에 아무 것도 얻지 못하고 오히려 재산을 몰수당하게 됩니다. 포셔의 판결은 명확하지 못한 언어 표현과 그 사이에 있는 허점을 이용해서 교묘하게 샤일록을 응징한 것입니다.

공손룡의 백마비마론 역시 명확하지 못한 표현과 언어에 대한 경계를 보여줍니다. 흰 말은 말이 아니라는 것은 흰 말과 말이 일치하는 개념이 아니라는 이야기이지요. 말에는 여러 가지 색이 있을 수 있기 때문에 말이 반드시 흰 말이 될 수는 없으므로 흰 말을 단순히 말이라고 하는 것은 곤란하다는 입장입니다. 보다 정확히 말하면 말이라는 상위 개념과 그 아래 흰 말이라는 하위 개념을 구분해서 사용해야 한다는 주장입니다.

(가)와 (나)는 모두 정확하지 못한 표현의 허점을 이용하여 근거를 내세운 주장이라는 공통점을 가지고 있습니다.

case 3 언어란 사회의 구성원들이 서로 의사소통을 하는 데에 가장 필수적인 요소입니다. 그리고 한 사회의 언어는 그 사회를 구성하는 모든 사람들 사이에 암묵적으로 정해진 약속입니다. 그것을 언어의 사회성이라고 하지요. 언어는 사회적 약속이기 때문에 개인이 마음대로 바꾸어 쓰게 되면 의사소통에 장애가 오게 되고 언어로서의 기능을 잃어버리게 됩니다.

그런데 (나)의 남자는 언어를 마음대로 바꾸어 사용했습니다. 그 결과 다른 사람들이 하는 말을 알아들을 수 없게 된 것은 물론, 시간이 지남에 따라 자신이 만든 언어를 자신이 이해하지 못하는 상황에 처하게 되었습니다. 그 결과 그 남자는 정상적인 사회생활을 할 수 없게 되고 말았습니다.

(나)의 이야기는 사회에서 언어의 역할이 얼마나 중요한가를 보여주는 이야기입니다.

언어는 사회 구성원들 사이의 의사소통을 원활하게 하는 가장 중요한 기능을 하고 있습니다. 공손룡도 그 점을 가장 중요하게 생각하고 있습니다. 따라서 언어를 비롯한 이름이 바로잡혀야 사회가 올바르게 돌아간다고 믿었던 것이죠. 명칭과 실제 사물이 일치하는 사회란 바로 언어가 바로 서는 사회를 말합니다. 공손룡은 그렇게 된다면 사회의 혼란과 무질서를 바로잡을 수 있다고 주장했습니다.

이 주장을 통해 우리는 언어가 사회 구성원들의 의사소통 기능을 담당하는 것에서 더 나아가, 사회의 질서를 바로 잡는 데에도 중요한 역할을 담당하는 핵심적인 요소라는 것을 알 수 있습니다.

Abitur

철학자가 들려주는 철학이야기 068

융이 들려주는 콤플렉스 이야기

저자_**정명환**
연세대학교 경제학과를 졸업하고 종로학원 강사로 활동하고 있다.
저서로는 《새로운 언어 시작하기》, 《언어와 논술의 만남》, 《뻔뻔통합수리논술》 (감수) 등이 있다.

배경 지식 넓히기

Carl Gustav Jung

융과 '콤플렉스'

융 주요 개념

1. 융의 삶

스위스에서 목사의 아들로 태어난 칼 구스타프 융(Carl Gustav Jung, 1875~1961)은 목사 집안이라는 전통과 달리 바젤대학과 취리히대학에서 의학을 공부하고 정신과 의사로서 사회 활동을 시작하였다.

융은 취리히대학에서 강사로 재직할 때인 1905년부터는 '정신분석학'을 창시한 프로이트가 쓴 책이 마음에 들어 프로이트와 편지를 교환하기 시작했다. 그런 인연으로 프로이트와 처음으로 만난 1907년 이후 프로이트 연구소를 세웠다. 그리고 1910년에 국제정신분석학회가 만들어지자 회장이 되기도 했다. 프로이트보다 19살이나 어린 융은 프로이트의 제자이자 학문 친구이기도 하였다.

그러나 얼마 후부터 융은 프로이트와 학문적 의견 차이로 사이가 멀어졌다. 융은 프로이트가 말한 정신분석의 근본 이론을 비판하면서 '분석심리학' 이라는 융만의 독자적인 이론을 만들었다. 기존에 있던 심리학은 과학적 체계 안에 제한되어 있었다. 그러나 융의 분석심리학은 종교와 신, 영적인 요소까지 포함하는 것이다. 거기에는 아버지가 목사였던 융의 집안 환경에서 받은 영향도 있다. 하지만 전 세계의 종교와 신화 그리고 고고학까지 포함하고 있는 융의 폭넓은 연구는 자발적 노력이었다. 오늘날 우리가 사람의 성격을 '내향적' 성격과 '외향적' 성격으로 구분하는 방식도 융의 이론에서 비롯되었다.

창조적인 연구를 위해 세계 어디라도 마다하지 않고 여행하던 융은 1961년 잠시 병을 앓은 후 죽음을 맞이하였다. 특이한 것은 융이 죽음을 맞이하는 순간 매우 거센 폭풍우가 일었고, 그가 평소 좋아하던 호숫가의 포플러나무가 벼락을 맞아 쓰러졌다고 한다.

콤플렉스

융이 학문을 대하는 열정과 노력은 개인의 정신을 넘어 오늘날까지 적용되고 있는데, 그 중 하나가 '콤플렉스(complex)'란 개념이다. 콤플렉스는 원래 라틴어 'com(함께)'과 'plectere(짜기)'를 합쳐서 생긴 말이다. 원래 뜻대로 풀어쓰면 '짜진 것', '엉켜서 복잡한 것'을 뜻한다. 대부분 사람들은 콤플렉스라고 하면 열등감 정도로 알고 있다. 물론 정신적 콤플렉스가 열등감과 관련된 경우가 많지만 정확한 어원은 따로 있다.

융의 스승이자 동료였던 프로이트도 콤플렉스를 말했으나, 프로이트는 오이디푸스 콤플렉스와 같은 성과 쾌락에 한정된 콤플렉스만 집중하였다. 그러다 프로이트의 제자인 프로이트의 성적인 콤플렉스를 뛰어넘어 '열등감 콤플렉스'를 제시하였다. 그래서 오늘날 콤플렉스는 곧 열등감이라는 인식을 낳았다. 융은 위와 같은 콤플렉스 개념을 체계적으로 완성시키고 보편적인 개인 무의식에서 보편적인 집단 무의식까지 범위를 넓혀 연구하였다. 융이 말한 콤플렉스는 열등감과 같은 불쾌한 감정으로써만 생겨나는 것이 아니다. 콤플렉스는 누구든지 가지고 있으며, 감정이 억압된 무의식에 깊숙이 자리 잡은 속마음이다. 그래서 평소에는 스스로 콤플렉스를 알아차리기 힘들다. 여기에는 수치심, 열등감, 불안감 등 부정적인 요소만 있지 않고, 자신 안에 숨겨져 있던 우월감과 자신감도 포함된다.

프로이트와 융은 왜 사이가 멀어졌을까?
우리가 심리학자를 생각하면 프로이트를 가장 먼저 떠올릴 것이다. 프로이트는 대중적 지명도가 높은데 그에 반해 융은 낮다. 융은 프로이트의 제자로 계속 프로이트 밑에서 연구 활동을 했다면 프로이트만큼의 높은 지명도를 가졌을지도 모른다. 그런데 왜 융은 결국 프로이트와 결별을 선언하게 되었을까?
'프로이트'의 가장 유명한 저서는 무엇일까? 그렇다. 바로 《꿈의 해석》이다. 제목에서도 보이듯이 프로이트는 꿈을 보편 체계적으로 풀어쓰려고 하였다. 그러나 융은 꿈을 해석하는 데에 보편적인 규칙은 없다고 보았다. 융은 일반화된 이론을 사람에게 맞춰보는 일보다 사람과 대화를 하고 그의 삶을 이해하는 일이 필요하다고 본 것이다.
이러한 융의 태도가 프로이트와 결별한 결정적인 이유이다. 즉, 프로이트는 꿈을 해석하는 데에 객관적이며 보편적인 법칙을 세우고자 하였으나 융은 사람 자체에 대한 이해가 선행되어야 꿈을 해석할 수 있다는 점에서 큰 차이가 있었다.

2. 초자연 현상을 심리학적으로 풀어낸 융의 집단무의식 이론

융은 프로이트의 무의식 이론을 보다 세분화하여 자신만의 독특한 심리학 체계를 세운다. 그 결과 이전까지의 심리학과 뚜렷이 구분되는 융만의 심리학 이론이 탄생한다. 그것이 바로 분석심리학 안의 집단무의식 이론이다. 프로이트의 심리학이 개인무의식에 집중되어 있었다면, 융은 개인이 모인 공동체의 역사 안에서 형성된 종교, 신화, 예술, 문학, 점성술, 미신 등 영적인 요소와 관련된 집단무의식을 발견해낸 것이다.

인간의 마음은 의식(conscious)과 무의식(unconscious)으로 나뉜다. 그리고 의식은 자아(ego)와 페르소나(persona)로, 무의식은 개인무의식(personal unconscious)과 집단무의식(collective unconscious)으로 나뉜다.

의식의 두 가지 측면 중에서 자아는 본래 지니고 있는 성격을 말하고, 페르소나는 사회 안에서 다른 사람과 관계를 맺을 때 드러나는 성격을 말한다. 융은 한 사람이 가지고 있는 인격 전체의 심리 구조를 싸이키(psyche)라고 칭했는데, 이는 그리스 신화에 나오는 프쉬케의 이름에서 비롯되었다. 심리학을 뜻하는 영단어 싸이콜로지(psychology)나 정신이상자를 뜻하는 싸이코(psycho)도 싸이키에서 파생된 단어이다.

개인무의식을 이루는 콤플렉스(complex)는 하나의 주제에 대해 응어리진 마음 덩어리를 말한다. 이는 개인의 경험이나 기억과 관련되어 있다. 반대로 집단무의식은 모든 사람이 공통적으로 가지고 있는 것이다. 그것은 개인무의식보다 심층적인 곳에 있어 우리의 인격이 형성되는 토대가 되기도 한다.

집단무의식은 선조로부터 물려받는다. 한 집단의 구성원들이 다 같이 함께 겪은 경험들이 각자의 마음속에 비슷한 형상으로 저장된다. 그것이 역사 속에서 예술이나 문학, 종교, 신앙, 풍속, 의식(儀式) 등으로 이어져 내려오면서 모든 이들이 공통된 심상을 갖게 된다. 융은 이를 원형(archetype)이라고 불렀다. 융이 말하는 '원형' 이란 어떤 것을 이루는 기본 모형이다.

프로이트가 꿈을 통해 무의식을 발견했듯이 융 또한 사람들의 꿈 이야기로부터 원형을 발견하였다. 융은 정신과 의사라서 환자들의 꿈 이야기를 많이 듣곤 하였다. 모든 사람은 태어난 환경과 성장 과정, 경험한 내용들이 다르다. 그럼에도 불구하고 모든 사람들의 꿈속에는 비슷한 이미지들이 등장한다. 이를 테면 악마, 영혼, 대지, 야만인, 성자 등이 있으며, 환자들이 품고 있는 환상이나 상징 또한 옛날 신화나 설화에서 나타나는 것들과 놀랍도록 비슷하였다.

융은 각기 다르게 살아온 사람들의 무의식 속에 왜 같은 것들이 있는지 연구하였다. 그리고 집단무의식을 통해 이를 해명했다. 그는 많은 사람들의 무의식 속에 있는 공통적인 것들이 깊은 어딘가에 하나의 뿌리를 두고 있을 거라고 생각했다. 개별적으로 드러나는 심상들 이면에 하나의 배후가 있다고 생각한 것이다. 그것이 바로 원형을 간직하고 있는 집단무의식이다. 집단무의식은 개인이 물려받은 공동체의 기억이며, 역사적 무의식이라 할 수 있다. 따라서 이는 한 사람의 인격을 초월하는 것이기 때문에 때때로 초자연적이거나 초월적인 현상으로 나타나기도 한다. 동물로 치면 어미에게 물려받아 태어날 때부터 가지고 있는 본능이라고 볼 수 있다. 인간에겐 역사적, 문화적 본능이 있는 것이다.

프쉬케와 에로스(큐피드)의 사랑 이야기

프쉬케는 그리스 신화에 나오는 어느 왕의 셋째 딸이다. 아프로디테는 프쉬케의 빼어난 미모를 시기하여 사람들이 그녀를 사랑하지 못하도록 하였다. 그 결과 프쉬케는 높은 산에 홀로 남겨졌지만, 황금 궁전에서 밤마다 찾아오는 남편과 함께 행복한 생활을 하였다.

어느 날 남편의 얼굴이 궁금해진 프쉬케는 언니들이 일러준 대로 베개 밑에 칼을 숨기고 등불을 가져갔다. 그 순간 깜짝 놀란 에로스는 프쉬케를 버리고 신들이 사는 곳으로 돌아가 버렸다. 프쉬케는 에로스를 찾아 헤매다 아프로디테에게 용서를 구했다. 그러나 결국 마지막 관문을 통과하지 못해 영원한 잠에 빠져들었다.

한편 프쉬케가 자신을 진정으로 사랑하고 있음을 안 에로스는 잠든 프쉬케를 창으로 찔러 깨웠다. 그리고 제우스에게 간청해 프쉬케를 신이 되게 하여 결혼하였다. 그리고 둘 사이에 태어난 자식 이름을 기쁨이라 지었다.

프쉬케는 원래 무슨 뜻?

프쉬케는 그리스어로 '나비' 혹은 '영혼'을 뜻한다. 나비는 애벌레의 삶을 다하고 고치가 되어 힘든 과정을 모두 견디고 난 후 아름다운 나비로 새 삶을 살게 된다. 따라서 프쉬케는 갖은 고난을 겪은 후에 진정한 행복을 누리는 영혼의 상징으로써 우리가 카타르시스(catharsis)라 말하는 정화(淨化)의 심리 상태를 말한다.

archetype은 어디서 나온 말?

archetype에서 arche는 고대 그리스 시대에 원자(세계의 본질)를 뜻하는 단어였고 type은 오늘날에도 많이 쓰이는 영단어로 유형을 뜻하는 말이다. 융은 이 둘을 합쳐 원형이라 칭하고 있다.

융은 개개인 안에 내재한 집단무의식을 넘어서 다른 민족이나 나라끼리도 비슷한 이야기 구도의 신화나 설화가 있다는 걸 발견하였다. 그럼으로써 인류 공통의 원형이 있다는 걸 발견했다. 원형을 통해 우린 원시시대부터 현대에 이르기까지 모든 인간이 아무리 다른 문화적 환경이나 시대적 배경 하에 놓여 있다 하더라도, 그 근본적인 심리의 구조나 본성은 동일하다는 것을 알 수 있다.

3. 기출 문제에서 만난 융

페르소나는 그리스어로 가면을 나타내는 말이다. 훗날 가면극의 기원이 된 그리스의 합창 가무에서 배우는 가면을 쓰고 자신의 역할을 연기했다. 가면을 쓰는 순간 배우는 자신의 본모습을 던져 버리고 가면으로 대변되는 새로운 역할 모델이 된다. 융은 인간은 마치 가면을 쓰듯이 여러 상황에 맞는 페르소나를 쓴다고 말했다. 이러한 가면 즉, 페르소나의 예로 사이버 공간에서 다양한 모습으로 자신을 설정하거나 변경하는 경우를 들 수 있다.

2003학년도 성균관대학교 수시 논술고사에서는 현실의 '나'에서 익명의 '나'로 옮겨감으로써 지속적인 분열과 단절을 경험하는 사례를 지적하는 제시문이 출제되었다. 이러한 '나(자아)'의 다양한 경험은 바로 페르소나의 구체적인 사례로 볼 수 있다. 일상을 떠나 나만의 가상공간에서 아무런 제약 없이 생각하고 행동할 때는 무책임한 행동을 하거나 공동체적 소속감을 잃게 되는 문제점이 있다. 다른 한편으로 사이버 공간이 보장하는 자유로운 참여와 익명성에 힘입어 유연한 모습을 띠게 되어 대면 관계와 기존의 사회 질서 속에서는 올바르게 판단하거나 선택하지 못했던 것들을 적극적으로 수용할 수 있게 되는 장점도 있다.

2007학년도 서강대학교 수시 논술고사에서는 컴퓨터 사용으로 인해 인간의 의식에 생기는 변화와 관련된 문제점을 지적하는 제시문이 출제되었다. 현대의 심리학자와 사회학자들은 이른바 '닷컴' 세대에 속하는 젊은이들의 정신 발달 과정에서 일어나는 변화에 주목하고 있다. 컴퓨터 화면 앞에서 자라면서 많은 시간을 채팅과 전자오락에 쏟아 붓는, 아직은 소수이지만 점점 그 수가 늘어나고 있는 젊은이들은 심리학에서 말하는 '다중 인격자' 에 가까워지고 있다. 그들의 의식은 특정한 시간에 자신이 몸담았던 가상 세계나 네트워크와 어울리기 위해 이용했던 짧은 토막의 파편들로 이루어진다. 바로 융이 말한 페르소나의 모습이다.

페르소나는 개인적인 자아이면서도 사회적 자아이기도 하다. 사회적 자아는 타인들의 기대에 부응하기 위해 노력하면 자신의 모습도 다듬어지고 능력도 계발된다. 내 스스로 바라는 모습이 되기도 하면서 타인들이 기대하는 모습을 갖추기도 하는 것이다. 하지만 반대의 경우도 가능하다. 사회적 기대나 지위에 너무 집착하면 나만의 개성과 정체성을 잃어버릴 수가 있다.

학벌이나 지위에 대한 기대 역시 페르소나의 일종으로 볼 수 있다. 명문대 출신을 선호하는 사회적 풍조로 인해 학력을 위조하는 부작용이 생겨났다. 진정한 실력이 아닌 '명문대' 라는 간판, 즉 페르소나의 추종이 사회적 병리 현상을 낳는 것이다. 명문대라는 페르소나와 자신을 동일시하여 마치 명문대 학력이 자신의 전부인 양 행동하고 진정으로 본인이 원하는 능력을 키우지 않을 때, 본인의 자아 실현이나 사회 발전은 이루어질 수 없다.

실전 논술

논술 문제

case 1 **제시문 〈가〉는 주변에서 친구들이 가지고 있는 다양한 콤플렉스를 설명하고 있다. 콤플렉스는 왜 이렇게 다양하게 나타는지 제시문 〈다〉를 읽은 후 설명해 보시오. 그리고 제시문 〈나〉를 읽은 후 콤플렉스가 가지는 문제점에 대해 논술하시오.**

가 "에헤헤, 그냥 해 본 소리야. 자, 그럼 계속 읽을게. 왜 공주 콤플렉스가 있냐 하면 매일 아침 화장하고 옷 입는 데만 두 시간이 걸린다. 자기가 제일 예쁜 줄 안다. 또 남자들은 다 자기를 좋아하는 줄 안다. 잘못 걸린 전화는 다 자기를 짝사랑하는 남자다. 꼭 재벌 왕자님 만나서 결혼할 거라고 한다."

반 아이들이 쿡쿡 웃기 시작했습니다. 보람이는 종이를 교탁 위에 내려놓았습니다.

"공주 콤플렉스 말고도 신데렐라 콤플렉스까지 있네? 언젠가 왕자님이 와서 나를 구해 줄 거라고 믿는 거."

코끝까지 내려온 안경을 밀어 올리며 보람이가 말하자 몇몇 아이들의 입에서 '아!' 하는 탄성이 흘러 나왔습니다. 사실 보람이도 지현이처럼 종희네 집에 놀러 가서 콤플렉스에 관한 이야기를 많이 나누었기 때문에 콤플렉스에 관해선 제법 알고 있었습니다.

보람인 다음 종이를 꺼내 펼쳤습니다.

"자, 다음 이야기. 친구 X는 엄마 콤플렉스가 있다. 엄마가 하는 말은 다 맞고 엄마가 세상에서 최고라고 한다. 누군가 자기 엄마에 대해 뭐라고 하면 무지 화를 낸다. 한번은 걔네 집에 놀러 가서 엄마가 해 준 간식이 별로 맛없다고 했다가 바로 쫓겨났다. 내 생각에 아버지를 일찍 잃었기 때문에 엄마에게 아주 집착하는 것 같다."

"난 걔 누군지 알지롱! 옆 반 손미나야."

윤성이가 두 손으로 나팔을 만들어 크게 소리쳤습니다.

"진짜 미나한테 엄마 콤플렉스가 있어?"

보람이가 묻자 윤성이가 고개를 끄덕였습니다.

"나도 걔네 엄마 뚱뚱하다고 그랬다가 손을 물렸다니까. 개도 아니고 왜 손을 물어? 별 이상한 애 다 봤어."

—《융이 들려주는 콤플렉스 이야기》 중에서

나 잘생겨야 돈 잘 번다! 직장인 외모 콤플렉스

누구나 살다 보면 콤플렉스 한두 개쯤은 가지고 있는 법. 이런 마당에 최근 한 설문 조사가 눈길을 잡아끈다. "직장 생활을 하면서 콤플렉스를 느낀 경험이 있습니까?"라는 설문 결과, 89.8%가 '있다' 라고 응답했다. '학벌 콤플렉스' (50.1%)가 1위를 차지한 가운데 '외모 콤플렉스' 는 25.7%를 차지했다. 직장인 4명 중 한 명은 외모 콤플렉스에 시달리고 있다는 것이다.

이미 우리 사회는 '외모도 경쟁력' 이라며 외모 지상주의를 부추기고 있는 실정이다. 월급을 결정하는 데 있어 교육 수준, 근로자 숙련도와 마찬가지로 '외모 프리미엄' 이 존재한다는 연구 결과도 있다. 교수가 잘생기면 학생들 수업 태도와 반응이 뜨겁고, 변호사나 의사가 잘생기면 매출 실적도 크다.

화장하는 남자, 피부 관리하는 남자, 성형하는 남자가 너무나도 익숙한 세상이 된 것이다. 특히 취업 준비생과 직장 남성들까지 외모가 취업 및 승진하는 데 있어 '성공의 조건' 이자 '대외 경쟁력' 이라는 인식이 확산되면서 외모 가꾸기에 더욱 열을 내고 있는 분위기다. 취업 포털 커리어가 구직자 1,330명을 대상으로 설문 조사를 한 결과 남성 응답자의 19.0%가 외모로 인해 면접에서 낙방했다고 생각한 적이 있다고 답했다. 면접에서 더 좋은 인상을 주기 위한 취업 성형을 고려해 보았다는 남성 응답자도 58.8%나 됐다.

— ○ ○신문, 2008년 5월 16일자 기사

다 우리는 좋지 않은 체험을 기억에서 애써 지우려고 합니다. 하지만 이는 완전히 소멸되지 않은 채 자아에 의해 억압되고, 의식에서 잊혀져 무의식 영역에 저장됩니다. 무의식 영역으로 쫓겨난 감정들 중에 비슷한 것들끼리 모여 응어리가 생기는데, 이것이 바로 콤플렉스입니다.

콤플렉스는 복잡하게 얽혀 있기 때문에 외부 자극에 민감하게 반응합니다. 특정한 감정에 예민하게 반응하는 사람일수록 콤플렉스가 심하다고 할 수 있는데, 그만큼 억압된 감정 응어리가 크기 때문입니다.

—《융이 들려주는 콤플렉스 이야기》 중에서

생각 쓰기

case 2 제시문 〈가〉에서 현식이 할머니와 주변 이웃들은 어떻게 모두 비슷한 꿈을 꿀 수 있었을까? 또 제시문 〈나〉에서 소○○ 역술인은 김○○ 배우의 불 꿈을 어떻게 일이 잘 될 거라고 암시하는 예지몽이라고 해석할 수 있었을까? 이 두 사례는 꿈에 관한 이야기라는 것만 같을 뿐 각기 다른 사건으로 보일 수도 있지만, 사실 우리의 무의식에 뿌리를 같이하고 있다. 융의 무의식 이론을 바탕으로 하여 두 사례가 어떤 공통점을 가지고 있는지 이야기해 보시오.

가 묵직한 분위기를 끌어올리기 위해 현식이가 이야깃거리를 떠올렸습니다.

"아, 나도 그런 비슷한 얘기를 알고 있어. 들어봐, 예전에 우리 할머니가 해주신 얘기야. 6.25 전쟁 날 즈음에 우리 할머니, 할아버지는 38선 가까운 곳에서 사셨대. 할아버지가 그 근처에서 근무하셨거든. 그런데 할머니가 전쟁나기 몇 달 전부터 똑같은 꿈을 계속 꾸셨다는 거야. 낫을 든 농부들이 피를 뒤집어쓰고 점점 다가오는 꿈……."

"어우, 소름 돋아."

"장면을 상상하니까 너무 무섭다."

종희와 지현이가 서로 꼭 팔짱을 끼며 어깨를 움츠렸습니다.

"그런데 우리 할머니만 그 꿈을 꾼 것이 아니라 주변에 다른 사람들도 비슷한 꿈을 꾸었다는 거야. 그래서 다들 불길한 느낌으로 하루하루를 보내는데, 어느 날 전쟁이 터져버린 거지. 육이오."

"히익!"

종희가 숨을 흡 들이마셨습니다.

"그 꿈이 6.25 전쟁이 일어날 걸 미리 알려준 것 같지 않아?"

"으으, 무서워. 그런 건 초능력 아니야? 앞날을 예견하는……."

"그런 것 같지?"

종희가 부르르 떨며 묻자 현식이가 고개를 끄덕였습니다.

"그런 꿈도 무의식에서 나오는 거겠지. 의식하진 못해도 다들 전쟁 직전의 그런 불길한 기운을 느끼고 있었던 거야."

—《융이 들려주는 콤플렉스 이야기》 중에서

나 [인터뷰: 김○○ 배우]

기자 : 꿈과 관련된 특이한 경험이 있나요?

배우 : 제가 예전에 어느 영화를 찍을 때, 동료 배우가 산에서 엄청나게 불이 나는 꿈을 꿨어요. 그리고 이 영화가 잘 될 거라면서 좋아하더라고요. 그런데 그 영화가 정말 잘 됐습니다.

[인터뷰: 소○○ 역술인]

기자 : 불이 나는 꿈처럼 예지몽은 가능한가요?

역술인 : 돼지꿈, 금두꺼비 꿈, 물 꿈 등은 돈 버는 꿈이라는 이야길 많이 합니다. 꿈에서 밝거나 아름답거나 뜨거운 것은 대개 좋은 의미를 가집니다. 또 산은 우뚝 서 있고 누구나 바라볼 수 있지요. 그런데 산에 불이 났습니다. 불이 활활 타

오르니까 모든 사람들이 쳐다보고 몰려든다는 얘기가 되겠죠? 그렇기 때문에 하나의 예지몽이라고 볼 수 있어요.

— 2008년 6월 26일 ○ ○ ○ 뉴스 중에서

생각 쓰기

생각 쓰기

case 3 다음의 제시문을 읽고, 핵심 내용을 300자 내외로 요약하시오.

정보 기술의 발전과 더불어 공동체적 가치가 삶의 중심부에서 밀려나는 양상이 심화되고 있는 것으로 보인다. 사이버공간에서의 개인은 다양한 모습으로 자신을 설정하거나 변경할 수 있다. 사이버 공간이 보장하는 자유로운 참여와 익명성을 행위의 결과에 대한 무책임성으로 받아들일 경우 참여자들은 일관성 있는 태도를 취하지 않는다. 오히려 스스로를 복수로 설정하며 일관성보다는 단절과 파편화를 선호하게 된다. 특히 사이버공간에서의 개인들은 스스로를 다수의 주체로 만들어 자유롭게 이동할 수 있기 때문에 자신을 특정한 공동체의 구성원으로 규정할 필연적 이유를 상실한다. 김OO 교수에 의하면 "사이버공간에서의 개인들은 뿌리 없는 개체로 변화하여 공동체적 소속감을 잃게 된다"라고 말했다.

그렇지만 사이버공간 안에서 개인들이 꾸며낸 다양한 모습은 단순한 가상의 주체로만 설정되는 것이 아니라 자신이 현실 세계에서 직·간접적으로 경험했던 내용에 기반을 두고 있음을 발견할 수 있다. 그리고 가상 공동체 안에서의 개인은 기존의 제도적이며 위계적인 틀의 속박에서 벗어나 보다 자유롭고 합리적으로 다른 참여자와 의사소통을 할 수 있다. 이럴 경우 가상 공동체 안에서의 개인은 보다 유연한 모습을 띠게 되어 대면 관계와 기존의 사회 질서 속에서는 올바르게 판단하거나 선택하지 못했던 것들을 적극적으로 수용할 수 있게 된다. 다른 사람의 역할을 해 봄으로써 그들에 대한 이해를 넓혀갈 수도 있다. 이OO 교수는 "정보 기술과 사이버공간은 오히려 인간의 추체험(다른 사람의 체험을 마치 스스로가 체험한 듯이 느끼는 일)을 늘려주고 그것을 통해 사회적 합의의 가능성을 높여 준다"고 주장한다. 유연한 자아의 출현으로 공동체의 기반이 해체되는 것이 아니라 오히려 그 공동체는 참여자가 선택한 자아들이 새로운 방식으로 상호 작용함으로써 발전해 간다는 것이다.

생각 쓰기

실전 논술

예시 답안

case 1 제시문 〈가〉에는 공주병을 공주 콤플렉스, 동화 속 주인공의 특징을 가지고 와서 신데렐라 콤플렉스, 엄마에게 의지하는 특성을 엄마 콤플렉스라고 부르고 있다. 공주병, 신데렐라, 엄마에 대한 의지는 개인이 가지고 있는 열등감과 거리가 있다. 열등감이라기보다 자신은 미처 알지 못하는 즉, 무의식에 감춰져 있는 억압된 감정과 생각이다. 그런 감정은 사람마다 다르다. 모든 사람이 부정적인 열등감만을 가지고 있는 것이 아니듯이 다양한 감정이 콤플렉스로 나타난다.

그런데 이런 콤플렉스는 개인의 발전으로 이어져 오는 경우도 있지만 콤플렉스가 너무 심해지고 자신을 계속 부정적으로만 여길 경우 문제가 된다. 못생긴 외모 때문에 콤플렉스를 가지고 있는 사람은 콤플렉스를 극복하기 위해 의학 기술을 사용한다던지 화장을 한다든지 여러 방법을 이용한다. 그런데 문제는 타의적인 사회 기준에 의해 스스로 콤플렉스가 형성되었으며, 콤플렉스 때문에 자신감이 없어지거나 사회적 활동에 지장을 주는 등 치명적인 문제로 작용하고 있다는 점이다. 콤플렉스가 개인의 발전을 가져오는 데 영향을 주는 경우도 있지만, 오히려 콤플렉스 때문에 개인이 위축되고 인간관계에 지장을 준다면 그대로 놔둘 것이 아니라 고칠 수 있도록 해야 한다. 그리고 불필요한 사회적 잣대로 무의식 속에 콤플렉스를 심어주는 분위기는 없어져야 한다.

case 2

꿈은 억지로 꿀 수도 없고 그 내용도 자기 의지대로 되는 것이 아니다. 그런데 어떻게 여러 사람이 같은 시기에 비슷한 꿈을 꿀 수 있었을까?

현식이 할머니가 꾼 꿈은 전쟁 직전의 불안한 시대적 상황을 반영하고 있다. 그러한 불안감은 현식이 할머니뿐 아니라 당시의 모든 이들이 느끼던 감정이었다. 그 불안이 사람들의 무의식에 저장되면서, 꿈을 통해 하나의 집단무의식으로 드러난 것이다.

〈나〉에서도 집단무의식이 작용하고 있다. 배우가 산불이 나는 꿈을 꾸었다고 하자 역술인은 밝고 아름답고 뜨거운 이미지의 불과, 높고 우러러보는 이미지의 산이 만나 좋은 징조를 보여 주는 예지몽이라고 해석한다. 밝고 아름답고 뜨거운 불이 왜 좋은 의미를 가질까? 그것은 불이 있어야 살아갈 수 있는 우리 인간들의 무의식 속에 불은 좋은 것으로 여겨지고 있기 때문이다. 산도 마찬가지이다. 높고 큰 산은 고개를 들어 우러러보아야 한다. 그래서 우리 무의식 속에 산은 나보다 대단하고 큰 존재로 여겨지고 있는 것이다.

이러한 불과 산의 이미지는 하나의 공동체를 이루는 사람들의 무의식 속에 보편적으로 깔려있다. 그렇기 때문에 역술인이 해몽을 내놓을 수 있는 것이다. 즉, 사물에 대한 이미지가 집단무의식으로 깔려 있기 때문에 어떤 한 사람이 알 수 없는 꿈을 꾸었을 때, 역술인이 집단무의식 안의 이미지를 바탕으로 하여 그 꿈을 해석해 줄 수 있는 것이다.

따라서 〈가〉와 〈나〉는 모두 같은 문화권이나 같은 시대적 상황에 놓인 이들의 집단무의식이 꿈으로 반영된 사례를 보여주고 있다.

case 3 정보화의 발달로 공동체적 가치가 위축되고 있다. 사이버공간에서 제공되는 일상을 떠나 나만의 가상공간에서 아무런 제약 없이 생각하고 행동할 때는 무책임한 행동을 하거나 공동체적 소속감을 잃게 되는 문제점이 있다. 다른 한편으로 사이버공간이 보장하는 자유로운 참여와 익명성에 힘입어 유연한 모습을 띠게 되어, 대면 관계와 기존의 사회 질서 속에서는 올바르게 판단하거나 선택하지 못했던 것들을 적극적으로 수용할 수 있게 되는 장점도 있다.

Abitur

철학자가 들려주는 철학이야기 069

러셀이 들려주는 지식 이야기

저자_**박민수**
1964년 서울에서 태어나 연세대학교 문과대학 독어독문학과를 졸업하고 같은 대학교 대학원에서 실러 미학에 관한 논문으로 석사학위를 받았다. 이후 독일에 유학하여 베를린 자유대학에서 독문학과 철학을 공부했으며 '바움가르텐, 람베르트, 칸트, 실러, 헤겔의 미학에서 미적 가상의 복안' 이란 주제로 박사학위를 받았다. 그 동안 우리말로 옮긴 책으로는 《우리의 포스트모던적 모던》, 《신의 독약 - 에덴 동산 이후의 중독과 도취의 문화사》, 《데리다-니체, 니체-데리다》, 《거짓말을 하면 얼굴이 빨개진다 - 윤리의 문제를 생각하는 철학 동화》, 《책벌레》, 《크라바트》 등이 있다.

배경 지식 넓히기

러셀과 '지식'

버트런드 러셀 주요 개념

1. 러셀을 만나다

버트런드 러셀은 1872년 5월 18일 영국 명문 귀족 가문에서 태어났다. 러셀을 아는 사람은 그를 그냥 '철학자 러셀' 이라고 부르기를 망설인다. 흔히 러셀을 철학자로 알고 있지만 철학 이외에 워낙 많은 분야에서 빛나는 활동을 했기 때문에 '전방위 지성인' 이라고도 불린다. 전방위 지식인 안에는 논리학자 · 철학자 · 수학자 · 사회사상가 · 문필가라는 호칭이 덧붙는다. 또한 러셀은 자신이 활동한 각 분야에서 그저 그런 활동을 한 것이 아니라 세계정상급 업적을 남겼다. 게다가 버트런드 러셀 이후로 그와 같은 전방위 지성인은 아직 나타나지 않고 있다. 러셀은 학문을 수학으로 시작해서 철학에 오래 머물다가 문학으로 마감했는데, 1950년에는 노벨문학상까지 수상했다.

젊은 시절부터 빠져 있던 러셀의 수학에 대한 관심은 무척 흥미로운 일화를 전해 준다. 아직 인생의 행복에 대해서 잘 모르던 어린 시절, 러셀은 죽고 싶은 적이 있었다. 그러나 끝내 그가 자살을 포기할 수밖에 없었던 이유는, 다름 아닌 '수학을 더 공부하고 싶어서' 였다고 한다. 러셀의 수학 연구는 유명한 논리학자 프레게의 업적을 계승하고, 페아노 등의 영향을 받는 한편, 데데킨트와 칸토어의 현대 수학적 성과를 발판으로 해서 '기호논리학' 이라는 분야를 집대성했다.

러셀은 논리학으로부터 수학의 기초를 얻어 수학을 바로 세워보고자 했다. 특히 같은 대학(영국의 케임브리지)의 선배 화이트헤드와 같이 쓴《수학원리》(3권, 1910~1913)는 바로 그와 같은 목적으로 집필된 책이다.

이후 사람들은 러셀의 수학 이론을 들어 '논리주의' 혹은 '논리적 원자론' 이라고 한다. 특히, 여기에서 러셀이 집합론을 검토하던 중에 발견한 패러독스는 무척 유명하다. 아직도 해결되지 않은 어려운 패러독스 문제를 일반인들이 알기 쉬운 형태로 바꾼 것이 '이발사 패러독스' 이다.

'이발사 패러독스' 란 "어느 마을에 단 한 명의 이발사가 있는데 이 이발사는 자신의 머리를 스스로 깎지 않는 마을 사람들의 머리만을 깎아 준다고 한다. 그렇다면 이 이발사는 자신의 머리를 깎을 수 있을까, 없을까?" 하는 문제이다. 만약 이발사가 자신의 머리를 깎지 않는다면 이발사는 스스로 머리를 깎지 않는 사람이 된다. 그러므로 이발사는 스스로 머리를 깎아 주어야 한다. 그런데 그렇게 되면 스스로 머리를 깎는 사람이 되므로 모순이다. 즉, 이발사가 자신의 머리를 깎지 않으면 자기가 했던 말에 따라 이발사 자신의 머리를 깎아주어야 하고, 자신이 깎게 되면 스스로 머리를 깎는 사람이 되니까 깎아 주어서는 안 되는 이상한 논리가 만들어진다. 이것이 바로 역설이다.

철학자로서의 성과도 크다. 특히 지식의 본질과 한계를 다루는 철학 분야인 인식론과 과학철학에서 큰 업적을 남겼다. 또한 사회철학자로서 러셀은 대학 졸업 후에 독일 사회주의자들과 만나면서 마르크스주의에 동조하였다. 그러나 러셀이 러시아를 다녀오고 혁명 지도자와 혁명이 일어난 후의 실제 상황을 알게 되자 오히려 마르크스주의를 비판하고 나섰다. 러셀이 추구한 것은 서구적 자유를 바탕으로 하는 사회민주주의였다. 그래서 그가 말한 정치 이론도 과학 이론과 같이 이데올로기에서 벗어나야 한다고 하였다.

러셀은 강단과 펜으로만 움직이는 철학자가 아니라 실천가였다. 그리하여 제1차 세계대전의 반전운동 때문에 대학에서 쫓겨나 6개월 동안 감옥에 있다가 나오기도 했다. 1907년에는 하의원으로 선거에 나왔으나 떨어졌고, 1920년대에는 대중을 위한 많은 책을 썼다. 그리고 BBC 방송 출연 등으로 유명해지긴 했지만 크게 환영받지는 못했다. 1960년에는 '100인 위원회'를 만들어 핵무장을 반대하는 운동을 하며 자신의 부인과 함께 교도소에 수감되기도 했다.

19C에 태어난 러셀은 100년 가까이 살았는데, 그의 삶만큼이나 그의 철학적 배경은 길고, 주제 또한 다양하다. 그에 따라 그의 입장 또한 다양하

게 변해 왔다.

기호논리학을 이용하여 철학 문제를 해결하려고 한 러셀의 연구는 20세기 철학에서 매우 독특한 업적이었다. 또 결혼 · 교육 문제 등 사회문제에 대해서도 상당히 진보적인 의견을 내놓기도 했는데, 그것이 문제가 되어 뉴욕 시립대학 교수직에 취임하지 못하였다는 일화도 있다.

패러독스

패러독스란 거짓이라고 하면 참이 되고, 참이라고 하면 거짓이 되어 참이라고 할 수도 없고 거짓이라고 할 수도 없는 주장을 말한다. '이발사 패러독스'가 그 대표적인 예이다. 다른 예를 들어 보자. 태양이가 말하기를 "달이는 거짓말쟁이야"라고 한다. 달이가 말하기를 "태양이는 정직한 사람이야"라고 한다. 태양이의 말이 참이라고 가정하자. 그러면 달이는 거짓말쟁이가 된다. 그러면 처음에 달이가 한 말이 거짓말이 되므로 결국 태양이는 거짓말쟁이가 된다. 이는 태양이의 말이 참이라는 가정과 모순된다. 그러면 반대로 태양이가 거짓말을 하고 있다고 가정해 보자. 그러면 달이는 거짓말쟁이가 아니라 정직한 사람이어야 한다. 그런데 달이는 태양이가 정직한 사람이라고 하고 있으니 태양이가 거짓말쟁이라는 가정과 모순된다. 결국은 알 수 없이 모순으로 이루어진 주장, 패러독스가 된다.

2. 러셀이 들려주는 게으름 이야기?

러셀의 수많은 저서 중 《게으름에 대한 찬양》은 철학서라기보다 수필집이나 에세이집이라고 할 수 있다. 노벨 문학상 수상경력이 있는 그의 문체가 빛을 발하고 있는 이 책은 대중적으로도 많이 읽히는 교양서이다.

《게으름에 대한 찬양》은 총 열다섯 장으로 구성되어 있으며, 그중 첫 번째 장 제목을 표제로 택했다. 러셀은 산업혁명으로 인해 대량 생산 체제가 도입되면서 근대화가 빠르게 진행되던 시기를 살았다. 이 시기는 찰리 채플린의 영화 〈모던 타임즈〉에서 볼 수 있듯 기계식 공장이 확산되면서 노동 환경을 둘러싼 많은 문제점들이 발생하던 때였다. 러셀은 당시 사회 구석구석에서 독버섯처럼 움트고 있던 문제점들을, 《게으름에 대한 찬양》을 통해 날카로운 시선으로 비판하면서 나름의 대안을 제시하고 있다.

이 책의 제목이기도 한 제1장 '게으름에 대한 찬양' 부분에서 러셀은, 노동 시간을 줄이기 위해 기계를 사용하지만 노동 시간은 줄어들지 않고 오히려 더 바빠지기만 하는 근대 산업사회의 모순을 꼬집는다. 그는 핀 공장을 예로 설명한다.

핀 공장 노동자들이 하루에 8시간씩 일한다고 해 보자. 그럼 그 나라에서 필요한 만큼의 핀을 생산할 수 있다. 이때 노동 시간을 1/2로 줄일 수 있는 기계가 발명되어 공장에 들어온다. 이때에는 노동자들이 하루에 4시간씩 일해도 그 나라에 필요한 핀을 공급할 수 있다.

하지만 공장주는 전체 노동 시간을 줄이는 대신 노동자의 반을 해고시키는 방식을 택한다. 해고되지 않은 노동자들은 여전히 쉴 새 없이 8시간씩 일을 하고, 해고당한 이들은 수입이 없어 굶게 된다.

애초에 기계를 발명한 이유는 같은 시간에 생산할 수 있는 양을 늘려 인간에게 여가 시간을 주기 위해서였다. 그리고 실제로 기계 덕분에 많은 수의 사람들이 노동 시간을 줄일 수 있게 되었고 여가 환경이 개선되었다. 하지만 여전히 인류의 절반은 예전과 마찬가지로 과로에 시달리며 나머지 반은 뜻하지 않게 필요 이상의 여가를 누리면서 돈을 벌지 못하고 있다. 더 뛰어난 기계가 발명될수록 인간의 삶은 더 바쁘고 힘들어지는, 모순적인 상황으로 가고 있는 것이다.

또한 러셀은 생산 활동을 선(善)으로 보고 소비 활동을 악(惡)으로 보는 경향을 비판한다. 이윤을 얻기 위해 일을 하다 보니 사람들은 이익을 가져오는 것만이 바람직한 것으로 여기기 시작했다. 그러면서 돈을 버는 것은 옳고 돈을 쓰는 것은 그르다는 관점이 생겨났다. 하지만 물건을 생산해 내는 이유는 그것을 쓰기 위해서이다. 생산과 소비는 서로 맞물려 돌아가는 것이지, 어느 한 쪽만 행해진다면 아무 의미가 없다. 러셀은, 생산이 옳고 소비가 그르다는 건 마치 열쇠가 옳고 열쇠 구멍이 나쁘다고 생각하는 것과 같다고 설명한다.

그래서 러셀은 모든 이들이 하루에 4시간만 일할 것을 주장한다. 그러면 사람들은 늘어난 여가 시간을 물질적 유용함이 아닌 정신적 유용함을 추구하는 데 쓸 것이고, 그러한 정신적 여유와 풍요로 인해 인간의 선한 본성이 잘 발휘되어 사회가 안정될 거라고 보았다.

그 밖에도 이 책에서 우리는 '무용한 지식과 유용한 지식', '건축에 대한 몇 가지 생각', '현대판 마이더스', '현대 사회의 획일성', '인간 대 곤충의 싸움', '무엇을 어떻게 가르쳐야 하는가', '이성의 몰락, 니체와 히틀러', '내가 공산주의와 파시즘을 반대하는 이유', '사회주의자를 위한 변명', '서구의 문명을 어떻게 볼 것인가', '금욕주의에 대하여', '혜성의 비밀', '영혼이란 무엇인가' 등 다양한 주제에 따른 러셀의 생각을 들여다볼 수 있다.

찰리 채플린의 〈모던 타임즈〉

찰리 채플린의 본명은 찰스 스펜서 채플린으로, 근현대를 살던 영국의 희극배우이자 감독이다. 그는 〈모던 타임즈〉, 〈황금광 시대〉, 〈트램프와 히틀러〉 등 당시 사회 문제를 풍자한 많은 희극 영화를 남겼다. 그 중 〈모던 타임즈〉는 채플린의 최고의 작품으로 꼽히는데, 사람이 톱니바퀴 기계에 끼여 돌아가는 장면이라든지 자동화 기계 속도에 맞춰 너트를 조이는 노동자가 일을 하지 않을 때에도 자동으로 움직이는 장면이 유명하다. 이 영화는 공장에서 일하는 노동자를 주인공으로 하여 근대 산업화 시대의 인간 소외 문제를 다루고 있다.

3. 교과서 속에서 만난 러셀

고등학교 교과서 《시민 윤리》는 "직업 생활과 여가 · 건강"을 다루면서 러셀의 다음과 같은 말을 인용하고 있다.

"일한 뒤에 갖는 휴식, 그것은 바로 인생에서 그리 흔하지 않은 행복의 순간이다."

일은 돈을 벌 수 있는 수단이 될 뿐만 아니라 자아를 실현하고 사회생활을 할 수 있게 하는 삶의 기본 조건이다. 사람은 일을 통해 타인과 관계를 맺고 상호 작용을 하면서 "자신이 인정을 받고 있는지, 아니면 받고 있지 못한지, 수용되고 있는 것인지, 아니면 거부되고 있는지, 성공할 것인지, 아니면 실패할 것인지 등을 배우게 된다."

러셀이 일한 뒤에 갖는 휴식이 소중한 행복이 될 수 있다고 말하듯이, 휴식은 단순히 일의 중단을 의미하는 것이 아니다. 일은 휴식과 여가를 통해 활력을 얻고 "일에서 한발 물러서서" 자신을 되돌아보는 계기가 될 수 있다. 또한 일을 하느라 미루어 놓았던 "취미 활동이나 동료들과의 운동, 가족과의 야유회, 자원 봉사 활동" 등을 함으로써 새로운 에너지를 충전하고 건강을 유지할 수 있다. 따라서 일과 휴식을 적절하게 활용하는 것은 행복한 삶을 영위하는 데 필수적인 요소로 볼 수 있다.

4. 기출 문제에서 만난 《게으름에 대한 찬양》

2008학년도 동국대학교는 정시 논술 고사에서 러셀의《게으름에 대한 찬양》에서 발췌한 글을 비롯한 3개의 글을 제시하고, 이 글들을 포괄할 수 있는 '여가' 의 정의를 내리라는 문제를 출제하였다.

《게으름에 대한 찬양》에서 인용한 제시문에는 19세기 초 영국의 사례가 등장한다. 보통 사람의 경우 하루에 15시간 동안 일을 하는데, 아이들은 주로 12시간씩 일을 했으며, 어른과 동일한 양을 소화해 내야 하는 경우도 빈번했다고 한다. 아이들이 힘든 일을 많이 한다고 비판을 하면 "일 덕분에 어른들의 음주가 줄고 아이들은 탈선에서 벗어날 수 있다"는 말로 무마되었다.

이에 대해 러셀은 일하는 시간을 4시간으로 줄이자고 제안한다. 하지만 이 제안은 그저 나머지 시간을 무의미하게 낭비하라는 뜻이 아니다. 이러한 제안을 하는 의도는 "4시간의 근로 시간을 가지고 기본 생활과 편의를 충족하고 나머지 시간을 자신에게 알맞게 쓰도록 하는 데 있다. 이를 위해서는 어떠한 사회체제이건 지금보다 교육의 기회를 더 늘려야 하고, 그 교육은 사람들에게 여가 시간을 현명하게 보낼 수 있는 방법을 가르치는 방향으로 이루어져야 할 것이다."

또한 러셀은 여가 활동이 수동적으로 변했다고 지적한다. 일이 끝나고 난 뒤 영화나 축구경기를 관람한다거나 라디오를 듣는 것이 고작이다. 이것은 오랫동안 일을 하느라 모든 에너지를 쏟아버렸기 때문에 생기는 일이다. 만약 조금 더 많은 여가가 주어진다면 사람들은 다시 능동적으로 즐거움을 만끽할 수 있다. 결론적으로 러셀은 "하루에 네 시간 이상 일하도록 강요하지 않는 세상에서는 과학적 호기심을 가진 사람이라면 그것을 탐닉할 수 있을 것이며, 화가들은 작품성만을 추구하더라도 굶지 않으면서 그림을 그릴 수 있을 것이다. 젊은 작가들은 불후의 명작을 남기기 위한 경제적 자립을 이루기 위해서 돈벌이용으로 조잡한 대중소설을 쓸 필요가 없을 것이고, 자신들의 역량과 개성을 잃을 일도 없을 것이다"라고 말한다.

열다섯 편의 수필을 모아 엮은 《게으름에 대한 찬양》은 제목이 주는 인상과는 달리 게으름을 무조건 찬양하고 있는 것은 아니다. 이때의 게으름은 건강한 여가 선용을 의미한다. 사회를 현명하게 조직해서 적정한 양만 생산해 내고 근로자가 하루에 4시간씩만 일한다면 모두에게 충분한 일자리가 생겨날 것이고 실업도 없을 것이라는 러셀의 희망이 표현되고 있다. 러셀은 인간이 진정한 자유를 누리기 위해서는, 또 주체적인 인간이 되기 위해서는 열심히 일해야 한다는 통념과는 달리 오히려 여가가 필요하다고 강조한다.

실전 논술

논술 문제

case 1 다음 제시문을 읽고 물음에 답하시오.

가 "스스로 이발을 하지 못하는 사람에게만 이발을 해 주는 이발사. 그의 머리는 누가 자를 것인가?"

양희 언니는 마치 연극 대사를 외우는 것처럼 비장하게 말했습니다.

"엥?"

송희는 도통 언니의 말이 이해되지 않았습니다. 뜬금없이 이발사 자신의 머리를 누가 자르냐고 하니까요.

"내 말을 잘 생각해 봐."

양희 언니는 다시 송희에게 물었습니다.

"스스로 이발을 하지 못하는 사람에게만 이발을 해 주는 이발사……."

송희는 그렇게 되뇌며 생각해 보았습니다. 거기까지는 이해가 되었습니다. 스스로 이발을 하지 못하는 사람에게만 이발을 해 주는 사람이 있다는 건 이해가 되는 거니까요.

"그런 이발사의 머리는 누가 자르나?"

이번엔 뒷말을 생각해 보았습니다. 송희는 한참 동안 생각했습니다. 스스로 이발을 하지 못하므로 그 이발사의 머리 또한 자신이 잘라야 하는데…….

—《러셀이 들려주는 지식 이야기》 중에서

나 이것은 소리없는 아우성

저 푸른 해원을 향하여 흔드는

영원한 노스탤지어의 손수건

순정은 물결같이 바람에 나부끼고

오로지 맑고 곧은 이념의 푯대 끝에

애수는 백로처럼 날개를 펴다

아! 누구던가?

이렇게 슬프고도 애달픈 마음을

맨 처음 공중에 달 줄을 안 그는

— 유치환, 〈깃발〉

1. 제시문(가)에서 밑줄 친 부분은 양희 언니가 한 말이다. 양희 언니가 한 말을 송희가 이해하지 못한 이유를 밝히고, 제시문(나)의 밑줄 친 문장과 제시문(가)의 밑줄 친 문장의 공통점을 쓰시오.

생각 쓰기

생각 쓰기

case 2 (가)를 읽고 러셀의 진리관과 지식의 성립 조건을 파악한 후, (나)에서 하버마스가 말하는 '합의된 진리'라는 것이, 러셀이 생각하는 진리나 지식 개념과 어떻게 같거나 다른지 비교해 보시오.

가 기본적으로 지식은 옳고 그름을 가릴 수 있는 '주장'을 담고 있어요. 그 주장은 옳고 그름을 가릴 수 있는 것으로서, '~이다'라는 꼴의 기술문장으로 쓸 수 있죠. 이와 같은 문장을 '명제'라고 하는데, 참 혹은 거짓 둘 중 하나입니다. 진리조건을 만족하는 참명제는 아직 '지식'이 아니고 '진리'입니다. 우리가 공부하는 교과서에는 진리 즉 참인 정보가 담겨있는 것들입니다. 다시 말해 교과서에 적혀있는 것은 지식이 아니라 지식이 될 수 있는 알맹이 내용 즉 '진리'입니다. 지식을 밥에 비유한다면 진리는 쌀에 해당합니다. 보통 쌀만 많이 있으면 밥걱정을 하지 않아요. 많은 사람들은 믿음 없이 진리만 잔뜩 넣어 두면 지식을 많이 쌓은 것으로 생각합니다. 하지만 맛있는 밥을 짓기 위해서 쌀에 적당량의 물을 붓고 끓여야 하듯이, 엄격한 의미의 지식을 얻기 위해서는 진리에 대한 '믿음'이 더해져야 합니다.

그런데 새로운 진리를 처음으로 발견해야 하는 경우에는 가설이라 부르는 '진리후보'를 먼저 믿고 내세워야 합니다. 또 진리를 수정해야 하는 경우에는 기존의 진리가 틀렸다고 의심하고 다른 믿음을 먼저 가져야 합니다. 엄격한 의미의 지식은 알맹이 내용이 진리여야 할 뿐만 아니라, 그 진리에 대한 믿음까지 요구합니다. 이런 믿음의 요구를 지식성립의 승인조건이라 합니다. 진리를 진리로 인정하는 확실한 믿음 없이 건성으로 말하는 것은 엄격히 말해서 지식이 아니랍니다.

밥을 지을 때 쌀을 끓이다가 불을 줄이고 뜸을 들이는 과정이 따로 있듯이, 엄격한 지식의 성립에도 또 하나의 조건을 충족해야 하는 과정이 남아 있습니다. 참인 정보에 대한 확신할 수 있는 정당한 지식을 가졌다고 할 수 있을 때 비로소 그 정보를 안다, 즉 그 정보에 대한 지식을 가졌다고 할 수 있는 것입니다. 이런 세 번째 요구를 지식 성립의 정당화조건이라 합니다.

—《러셀이 들려주는 지식 이야기》 중에서

나 지금 여러분 앞에 빨간 사과가 있어요. 그리고 여러분이 "이 사과는 빨개"라고 말하면 이 말은 진리이고, 이를 파랗다고 말하면 거짓이라는 거예요. 왜냐하면 여러분의 말에 대응하는 특성을 사과가 실제로 가지고 있기 때문입니다. 그런데 이 설명이 놓치고 있는 점이 있어요. "이 사과는 빨갛다"고 말할 때 우리는 무엇을 사과라고 하는지, 그리고 무엇을 빨갛다고 하는지를 알아야 합니다. 사과에 '나는 사과야. 그리고 빨간색이야' 하고 적혀 있는 것은 아니니까요. 무엇을 사과라고 부르는지, 무엇을 빨갛다고 말하는지는 이미 정해진 것이 아니에요. 사람들이 그렇게 하자고 합의한 것이에요.

더구나 사과는 채소가 아니라 과일이고, 빨갛다는 말이 크기가 아니라 색깔을 나타낸다면, 우리는 또 과일이 무엇이고, 색깔이 무엇인지를 알아야 합니다. 그리고 당연히 채소와 크기란 말이 무슨 뜻인지도 알아야겠지요. 만약 채소나 과일이 무엇인지 유전자를 통해 이야기하고, 색깔을 물체에서 반사된 빛의 파장을 가지고 설명한다면 문제는 점점 복잡해져요. 유전자와 빛에 대한 우리의 지식이 총동원되어야 하기 때문이죠. (……)

그렇다면 이제 어떻게 되는 것일까요? 사실 우리가 어떤 지식 체계를 가지고 있느냐는 우리 자신의 선택일 수도 있고, 그것을 옳다고 생각하는 것은 그것을 선택한 사람들 사이의 합의예요. 다시 말해 우리가 어떤 지식 체계에 합의하느냐에 따라 세상에 대해 서로 다르게 말할 수 있다는 거예요. 따라서 어떤 말이 진리인가 아닌가 역시 우리가 어떤 지식 체계에 합의하고 있느냐에 따라 달라질 수 있다는 뜻이죠. 이것을 '진리합의설' 이라고 합니다.

—《하버마스가 들려주는 의사소통 이야기》 중에서

생각 쓰기

생각 쓰기

case 3 다음은 러셀이 쓴 《게으름에 대한 찬양》에 포함된 수필 "게으름에 대한 찬양"과 "무용한 지식과 유용한 지식"에서 인용된 글이다. 이 글에서 말하고 있는 "게으름"과 "무용한 지식"의 의미를 설명하시오.

가 가난한 사람이 여가를 가져야 한다는 주장은 부유한 사람들에게는 실로 충격이었다. 19세기 초 영국에서는 보통 사람의 경우 하루에 15시간 동안 일을 했다. 아이들은 주로 12시간씩 일을 했으며, 어른과 동일한 양을 소화해 내야 하는 경우도 빈번했다. 몇몇 사람들이 지나치게 많은 노동시간에 대해 문제 제기를 했지만, 늘 일 덕분에 어른들의 음주가 줄고 아이들은 탈선에서 벗어날 수 있다는 주장에 가로막혔다. (……) 내가 근로시간이 4시간으로 줄여져야 한다고 말할 때에는 그저 나머지 시간을 무의미하게 낭비하라는 말이 아니다. 4시간의 근로시간을 가지고 기본생활과 편의를 충족하고 나머지 시간을 자신에게 알맞게 쓰도록 하는 데 있다. 이를 위해서는 어떠한 사회체제이건 지금보다 교육의 기회를 더 늘려야 하고, 그 교육은 사람들에게 여가 시간을 현명하게 보낼 수 있는 방법을 가르치는 방향으로 이루어져야 할 것이다. 나는 지식인인 척하게 만드는 그러한 교육을 말하는 것이 아니다. 농민들의 전통 춤은 먼 시골구석을 제외하고는 자취를 감추어 버렸지만, 적어도 그것을 유지하고 발전시키려 했던 욕구와 충동은 사람들의 내면에 남아 있을 것이다. 도시인들에게도 즐거움은 수동적으로 변해 버리고 말았다. 영화나 축구경기를 관람한다거나 라디오를 듣는다거나 하는 식이다. 이것은 활동 에너지를 모두 일에 쏟아버렸기 때문이다. 그들에게 조금 더 많은 여가가 주어진다면 사람들은 다시 능동적으로 즐거움을 만끽할 수 있게 될 것이다. (……) 하루에 네 시간 이상 일하도록 강요하지 않는 세상에서는 과학적 호기심을 가진 사람이라면 그것을 탐닉할 수 있을 것이며, 화가들은 작품성만을 추구하더라도 굶지 않으면서 그림을 그릴 수 있을 것이다. 젊은 작가들은 불후의 명작을 남기기 위한 경제적 자립을 이루기 위해서 돈벌이용 조잡한 대중소설을 쓸 필요가 없을 것이고, 자신들의 역량과 개성을 잃을 일도 없을 것이다.

— 러셀, 《게으름에 대한 찬양》 중에서

나 18세기를 거치면서 점진적으로 폭넓고 실용적인 지식 개념으로 나아가고 있던 변화가 갑작스럽게 가속화되기 시작한 것은 세기 말에 일어난 프랑스 혁명과 기계의 발달이 원인이었다. 그 후 150년을 거쳐 오는 동안 사람들은 '무용한 지식'의 가치에 대해 점점 의문을 제기하게 되었고, 반면에 공동체의 경제적 삶에 적용할 수 있는 것만이 가치가 있는 유일한 지식이라는 믿음이 점차 확산되었다. 이제 지식은 그 자체로 좋은 것, 혹은 폭넓고 인간적인 인생관을 세우는 수단이라기보다는 단순히 전문적인 기능으로 여겨지게 되었다.

(……) 아이에게만 놀이가 필요한 게 아니다. 어른에게도 현재의 즐거움 이외엔 아무 목적도 없는 행위에 빠지는 시간이 필요하다. 그러므로 놀이가 제 구실을 다할 수 있기 위해서는 일과 관계가 없는 부분에서도 기쁨과 흥미를 찾아낼 수 있어야 한다. 현대의 도시인들은 점점 더 수동적이고 집단적인 여흥, 즉 다른 사람들의

능란한 활동을 피동적으로 구경하는 쪽으로 기울고 있다. 물론 그런 여흥도 전혀 아무 것도 안 하는 것보다야 낫겠지만, 교육을 통해 일과 관계없는 부분에서 폭넓은 지적 관심사들을 가지게 된 사람들의 여흥에 비하면 그리 바람직하지 않다. (……) 기계의 생산력으로 인류에게 혜택을 준 발전된 경제 조직이 여가를 파격적으로 증대시키는 것으로 이어져야 마땅하지만 여가가 많아지면 상당한 지적 활동과 관심사들을 보유한 사람들을 제외하고는 대부분 지루해지기 십상이다. 여가를 가진 인구가 행복할 수 있다면 그것은 틀림없이 교육받은 인구이며, 또한 그 교육은 직접적 유용성을 가진 과학・기술적 지식뿐만 아니라 정신적 기쁨도 목표로 했음이 틀림없다.

(……) '무용한 지식' 은 사소해 보이는 부분에서까지 개인들에게 커다란 즐거움을 줄 수 있다. 그러한 지식의 추구를 가능케 해 주는 것은 바로 사색하는 습관인데, 여기에는 게으름이 요구된다. 사람들은 게으를 수 있을 때 비로소 마음이 가벼워지고, 장난도 치고 싶어지며, 스스로가 선택한 건설적이고 만족스러운 활동들에 전념할 수 있기 때문이다. 그러나 대부분의 현대인에게는 '무용한 지식' 을 추구하며 빈둥댈 돈도 여가도 없다. 왜냐하면 그들은 효율성 숭배에 사로잡혀 있기 때문이다. 따라서 지식의 경제적 혜택 혹은 그러한 혜택이 가져오는 타인 위에 군림하는 권력의 증대만이 가치 있는 것으로 여겨진다.

게으름을 부려도 좋은 만큼의 자원을 가진 운 좋은 사람들은, 큰 지배력을 가질 수는 있지만 인생의 폭넓은 목적들에 대한 반성적 이해를 할 수 없게 만드는 정력적인 활동에 눈이 멀어 게으름을 냉대하기 일쑤이다. 이 같은 도구적 지식관은 해로운 것이다. 현대의 기술은 임금의 저하나 실업을 동반하지 않고도 하루 4시간 노동을 가능하게 해 준다. 그렇게 되면 남녀 누구나가 각자 선택한 활동들을 자유롭게 추구할 수 있을 것이고 노동의 압제에서 해방될 수 있다.

— 러셀, 《게으름에 대한 찬양》 중에서

생각 쓰기

생각 쓰기

생각 쓰기

실전 논술

예시 답안

case 1 이발사는 자신의 머리를 스스로 깎지 않는 사람들의 머리를 깎아준다고 했다. 만약 이발사가 자기 머리를 스스로 깎지 않는다면 이발사는 머리를 스스로 깎지 않는 사람이 된다. 그러므로 이발사는 스스로 머리를 깎아야 한다. 그러나 이발사가 자신의 머리를 깎으면 스스로 머리를 깎는 사람이 되기 때문에 처음에 자기가 한 말은 모순이 된다. 맞는 문장인 것 같으나 한 문장씩 논리적으로 생각해 보면 앞뒤가 맞지 않고 진리인 명제가 없는 패러독스가 된다. 송희는 한 문장씩 따져 보니 문장이 서로 모순되었다는 점을 알게 되었고, 그래서 이해하지 못한 것이다. 제시문(나)의 밑줄 친 문장을 보면 '소리없는' 이 '아우성' 이란 단어를 꾸며주고 있다. 그런데 '아우성' 뜻 자체가 소란스럽고 시끄러운 상태를 나타낸다. 그런데 '소리없는' 이란 말이 들어감으로 인하여 '아우성' 단어와 부딪히고 모순을 가진다. 이것도 역설이라고 하는데 일반적인 대화에서 사용하기에는 모순을 가지지만 모순을 가지는 그 자체로 문학적으로 허용이 된다. 제시문(가)의 스스로 머리를 깎는 이발사와 제시문(나)의 소리없는 아우성은 모두 논리적으로 맞지 않는 모순을 가진 문장이다. 다만 제시문(나)의 소리없는 아우성은 시적 허용이 가능해서 널리 쓰이고 있지만, 제시문(가)와 같은 패러독스는 논리적으로 큰 문제를 일으킬 수 있기 때문에 철저히 그 논리성을 따지고 있다.

case 2

러셀은 진리라는 건 하나의 참인 명제, 즉 앎이 되기 전의 재료일 뿐이며, 이것이 지식이 되기 위해선 주체가 그 사실 자체를 아는 것뿐 아니라 그것이 참이라는 걸 인정하고, 또 왜 그러한지도 알아야만 한다고 주장한다. 우리가 지식을 쌓기 위해선 단순히 참인 명제를 듣고 외우는 것에서 끝나면 안 된다. 진리라는 재료를 가지고 나름대로 소화를 시켜야 한다. 명제가 참이라는 진리 조건과, 그게 참이라는 걸 내가 인정한다는 승인 조건, 또 그게 왜 참인지 근거를 명확히 알고 있다는 정당화 조건을 모두 통과해야 한다는 것이다.

러셀에게 있어선 지식이 성립하기 이전에 진리가 먼저 있다. 하지만 하버마스에겐 진리 자체가 이미 지식이다. 진리는 애초부터 있는 게 아니라, 사람들이 서로 의사소통을 통해 합의를 통해 만들어 낸 것이기 때문이다.

영수가 바구니에서 사과를 꺼내 먹는 영희를 보았다고 하자. 그리고 "바구니가 비었다"라고 말했다고 하자. 러셀 식으로 보면 영수는 바구니가 비었다는 사실을 지식으로 습득하였다. 바구니가 비었다는 사실을 알고, 그것을 인정하고 있으며, 또 바구니가 왜 비었다고 할 수 있는지도 알고 있기 때문이다.

하지만 하버마스의 관점에선 다르게 설명할 수 있다. 짚으로 만든 그릇을 '바구니'라고 부르기로, 또 아무것도 남지 않은 상태를 '비었다'고 부르기로 사람들끼리 합의하였다. 따라서 영수는 아무것도 없는 짚 그릇을 보고 "바구니가 비었다"라고 진리를 말할 수 있었던 것이다.

case 3

러셀이 말하는 게으름은 우리가 상식적으로 알고 있는 나태함이나 빈둥거림과는 다르다. 제시문에서 말하는 게으름은 사회를 현명하게 조직해 일하는 시간을 줄임으로써 생기는 여유를 의미한다. 일에 모든 활동 에너지를 쏟는 기존의 노동 방식은 일하는 사람을 기계와 다를 바 없게 만든다. 하지만 생산 과정을 합리적으로 조직해 노동 시간을 줄인다면, 여가를 충분히 즐길 수 있고, 일한 후에 능동적으로 즐거움을 만끽할 수 있는 여가 활동이 가능하다. 이는 일하는 사람들에게 역량과 개성을 살려 자아를 실현하는 수단이 될 수도 있다.

능률과 업적과 속도가 요구되는 현대의 삶에서 게으름을 피울 수 있는 여유는 스스로를 되돌아보고 진정한 자유를 느끼며 주체적으로 살아가고자 하는 사람에게는 더할 나위 없이 중요하다.

무용한 지식은 실용적 지식과 가치만을 강조하며, 인간을 어떤 다른 목적을 위한 수단으로 전락시키고 있는 현대 문명에 대한 비판과 대안 제시이기도 하다. 유용함만을 추구하는 것이 아니라, 많은 사람들이 사색하면서 '무용한' 지식에 관심을 가지고 그것을 창출할 수 있게 하는 것이 참된 인간성을 살릴 수 있는 길이다. 사람은 게으를 수 있을 때 비로소 마음이 가벼워지고 스스로가 선택한 창조적인 활동에 몰두할 수 있다. 인간의 진정한 자유와 주체성을 위해서는 누구든지 게으를 수 있을 권리가 있음을 깨달아야 한다. 능률과 속도가 요구되는 현대의 삶에서 게으름을 피울 수 있는 여유는 스스로를 되돌아보고 진정한 자유를 느끼며 주체적으로 살아가고자 하는 사람에게는 더할 나위 없이 중요하다.

Abitur

철학자가 들려주는 철학이야기 070

에피쿠로스가 들려주는 쾌락 이야기

저자_**정명환**
연세대학교 경제학과를 졸업하고 종로학원 강사로 활동하고 있다. 저서로는 《새로운 언어 시작하기》, 《언어와 논술의 만남》, 《뻔뻔통합수리논술》 (감수) 등이 있다.

배경 지식 넓히기

에피쿠로스와 ‘쾌락’

에피쿠로스 주요 개념

1. 에피쿠로스는 어떤 시대를 살았나?

에피쿠로스는 BC. 342년에서 341년 사이에 에게해의 사모스 섬에서 태어났다. 플라톤이 죽은 지 7~8년 뒤에 태어났으며, 그때 아리스토텔레스는 42살이었다. 에피쿠로스는 성별, 계급을 떠나 모든 사람들이 공부할 수 있고 공동체 생활을 할 수 있도록 노력하였다. 에피쿠로스는 에피쿠로스 학원이라고 불리는 모임을 자신의 정원에서 가졌다. 그리고 이 에피쿠로스 학원은 플라톤의 아카데미아, 아리스토텔레스의 리케이온, 제논의 스토아와 함께 고대 그리스의 유명한 학원으로 통한다.

흔히 에피쿠로스하면 가장 먼저 떠올리는 말이 '쾌락' 이다. 그리고 사람들은 '쾌락' 이란 말을 들으면 욕심을 채우기 위한 부정적인 행동으로 생각하기 쉽다. 그래서 에피쿠로스를 '쾌락주의자' 란 말에만 가두어 놓고, 그가 말한 쾌락의 진정한 의미가 무엇인지는 깊이 알지 못한다. 에피쿠로스의 쾌락주의에 대해서는 뒤에서 더 자세히 알게 되겠지만 여기서 간단하게 짚고 넘어가도록 하자.

에피쿠로스에게 좋은 것과 안 좋은 것의 기준, 즉 선(善)의 척도가 무엇인지 물으면 '쾌락'이라고 할 것이다. 그러나 쾌락이라고 하여 모두 똑같은 가치를 가지고 있는 것은 아니다. 인간이 행복한 삶을 살기 위해 쾌락은 중요한 요소이다. 쾌락에도 여러 종류가 있으며 쾌락을 위한 자연스러운 욕망이 있는 반면에 자연스럽지 않은 욕망도 있다. 예를 들어 배가 고파서 밥을 먹고자 하는 욕망은 매우 자연스러운 일이다. 그러나 부러질 듯한 밥상 위에서 술과 안주까지 즐기는 일은 자연스럽지 않을 뿐더러 불필요한 욕망이다.

그렇다고 하여 에피쿠로스가 육체가 가지는 쾌락을 반대한 것은 아니다. 다만 육체의 쾌락에 너무 집착하다 보면 쾌락에 다다르지 못한 상태, 즉 불만족하게 될 경우 더욱 고통을 받게 될 것이다. 예를 들어 5,000원으로 한 번의 식사를 해결할 수 있지만, 내가 50,000원을 가지게 되어 50,000원 어치의 식사를 하다가 100,000원 어치의 식사를 했다고 가정하자. 나는 더 비싼 식사를 하고 싶었지만 다시 5,000원짜리 식사를 할 수밖에 없는 상황에 놓였다. 이때 나는 100,000원짜리 식사를 바라게 될 것이고, 5,000원짜리 식사를 할 수밖에 없는 상황에 고통을 받을 것이다. 에피쿠로스가 추구한 쾌락은 육체적인 고통이 없고 마음이 평정한 상태이다. 이를 아타락시아라고 부르며, 마음이 평정해지기 위해서는 욕망을 줄이고 정신의 쾌락을 높여야 한다고 하였다.

에피쿠로스가 자신의 정원에서 다양한 계급의 사람들에게 철학을 알렸던 시대 이전을 흔히 그리스 시대라고 하는데 우리가 너무나 잘 알고 있는 소크라테스, 플라톤, 아리스토텔레스 등이 있다. 그리고 이후 에피쿠로스는 그리스 시대 이후 헬레니즘 시대에 왕성한 철학 활동을 하였다. 헬레니즘 시대는 중국의 춘추전국시대와도 같다. 그리스가 너무 먹고 살기 좋아서 지혜를 찾아 떠나는 학문인 철학이 발달했듯이 어지러운 시대에도 다양한 사상이 나타나면서 철학이 발달한 것이다.

에피쿠로스의 철학은 사회 전체의 도덕성을 강조한 것이 아니라 개인의 쾌락을 더 중요하게 여겼다. 에피쿠로스에게 철학은 고통을 피하기 위한 수단이었지 좋은 사회로 만들기 위한 수단은 아니었던 것이다. 이런 모습은 시대적 배경과도 잘 맞물려 있다. 펠로폰네소스 전쟁 이후 아테네는 몰락하여 그리스의 문명은 쇠퇴하고, 그들이 가지고 있던 공동체 의식은 없어지거나 로마 제국으로 빨려 들어갔다. 결국 그리스의 문화와 지성을 이끌어 왔던 그리스 지식인들은 삶의 방향을 잃어버렸고, 현실에서 얻을 수 있는 평온함을 추구하게 되었다. 에피쿠로스 역시 위와 같은 시대적 배경 속에서 자연스럽게 나타난 철학을 펼친 것이다.

펠로폰네소스 전쟁

고대 그리스는 도시 국가라고 불리는 폴리스로 이루어져 있다. 이 도시 국가 중 대표적인 나라가 아테네와 스파르타이다. 민주 정치의 정석인 아테네와 엄격한 교육 방법과 군사 양성의 대표인 스파르타의 갈등이 펠로폰네소스 전쟁이다. 전쟁에서 스파르타가 승리를 하긴 했지만 펠로폰네소스 전쟁은 그리스가 몰락하는 원인이 되었다. 스파르타도 오랜 전쟁 때문에 국력이 쇠약해졌고, 다른 도시 국가들 간의 갈등으로 결국 그리스는 무너지고 로마 제국에 흡수되고 말았다.

2. 에피쿠로스학파 VS 스토아학파

헬레니즘 시대엔 많은 사람들이 개인과 사회의 문제, 그리고 그 사이에서 어떻게 하면 인간이 마음의 평화를 얻고 진정한 행복을 누릴 수 있을까를 고민하던 시기였다. 이 시기의 대표적인 철학 사조로 에피쿠로스학파와 스토아학파의 사상이 있었다. 에피쿠로스학파는 쾌락주의를, 스토아학파는 금욕주의를 내세우며 팽팽히 대립하였다.

에피쿠로스학파의 창시자는 에피쿠로스이다. 이 학파는 아테네에 있던 에피쿠로스의 정원에 모여 지내던 사람들로부터 출발했다. 이들은 모든 만물이 원자로 이루어져 있다는 데모크리토스의 원자론을 받아들여서, 세계는 물질로 이루어져 있으며 모든 인식은 감각과 감정에서 비롯된다고 주장하였다.

에피쿠로스학파는 기쁨이나 즐거움을 주는 것이 선이고 반대로 고통을 주는 것이 악이라고 생각했다. 따라서 그들은 욕구가 충족되는 쾌락의 상태를 인간이 살아가는 궁극적 목적인 행복이라고 여겼다.

쾌락은 정적인 쾌락과 동적인 쾌락 두 가지로 나뉜다. 이 중 정적인 쾌락은 마음의 쾌락을 뜻하고 동적인 쾌락은 육체적인 쾌락을 뜻한다.

정적인 쾌락은 마음의 고통이 없는 평정 상태이고 동적인 쾌락도 마찬가지로 육체적인 고통이 사라진 편안한 상태이다. 예를 들면 두려움, 슬픔, 걱정, 불안 등의 정신적 고통이나 배고픔, 추위, 아픔, 피로함 등의 육체적 고통이 사라진 상태를 말한다. 에피쿠로스학파가 말하는 쾌락이란 엄청나게 신나고 유쾌한 기분이 아니라, 단지 고통이 해소된 고요하고 평온한 상태, 아타락시아(Ataraxia)를 말하는 것이다.

이들은 정적인 쾌락과 동적인 쾌락 중에서도 정적인 쾌락을 더욱 추구해야 한다고 생각했다. 먹고 자는 기본적인 욕구, 육체의 본능은 충족되지 않으면 고통스럽기 때문에 반드시 해소가 되어야 한다. 하지만 그러한 본능 이상의 권력이나 명예, 재물에 대한 욕심은 불필요한 것이다. 그러한 욕심은 충족되지 않아도 살 수 있고, 오히려 불만만 더 늘릴 뿐이다. 그러한 괴로움은 삶의 목적과 반대되기 때문에 우리가 피해야 할 악이라 생각하였다.

반면 스토아학파는 만물의 근원이자 원리가 로고스(Logos)*, 즉 보편적인 세계 이성이라고 보았다. 개인이 가지고 있는 이성 능력은 세계 이성을 이루고 있는 일부이고, 그러한 인간의 본성은 세계 이성의 분신과도 같다. 같은 것을 나누어 가진 인류는 모두 형제이자 동포이다. 개인의 쾌락을 중요시했던 에피쿠로스학파와 달리 공동체를 매우 중요하게 여겼던 스토아학파는, 철저하게 이성의 원리에 따라 삶으로써 세계 이성을 향해 나아가는 것이 인간의 행복이라고 보았다.

스토아학파에게 있어 육체적 욕구는 우리를 유혹에 빠뜨리고 이성의 활동을 방해하는 제거 대상이었다. 그리하여 그들은 엄격한 도덕 원리와 금욕주의를 내세우며, 모든 욕구가 사라진 몸과 마음의 평온한 상태를 아파테이아(Apatheia)라고 불렀다. 그것이 바로 인간이 도달해야 할 행복의 경지이다.

로고스 Logos
말, 언어, 이성, 원리, 법칙 등의 뜻을 가지고 있다. 철학과 신학 안에서 매우 다양하게 사용되며, 주로 육체적, 물질적인 것에 대비되는 정신적인 것을 의미한다.

3. 교과서 속에서 만난 에피쿠로스

중학교 교과서 《사회2》는 알렉산드로스 대왕이 동방 원정에 나서면서 그리스 문화와 오리엔트 지역의 문화가 융합되면서 생긴 문화를 헬레니즘 문화라고 설명하고 있다. 이 문화의 특징은 세계시민주의와 개인주의 사상이다. "당시의 사람들은 공동체보다는 개인의 행복에 관심을 두고 인간의 행복은 정신과 영혼의 안정에 있다고 생각하였다." (교학사, 14쪽) 폴리스 공동체를 중시한 아리스토텔레스와 달리 에피쿠로스는 인간을 개인으로 파악했다.

흔히 '향락주의자'로 불리는 에피쿠로스학파가 지향한 것은 관능적 쾌락이 아니라 고통과 불안이 없는 상태, 즉 정신적 쾌락이었다. 에피쿠로스학파는 물질적 향락의 추구와는 거리가 멀었고, 소비 억제법을 연구한 일종의 대안운동가로 볼 수 있다. 에피쿠로스는 오늘날의 입장에서 보면, 텔레비전과 인터넷, 무분별한 쇼핑에 빠져드는 현대인에게 "인위적 욕구와 자연적 욕구를 구분하라"는 준엄한 충고를 던지는 셈이다.

쾌락주의의 역설
지나친 감각적 쾌락의 추구가 더 큰 고통을 초래한다는 것을 뜻한다.

고등학교 교과서 《윤리와 사상》은 에피쿠로스학파는 스토아학파와 달리 인간의 이성보다는 감각적인 경험을 더욱 중시한 점을 강조한다. 에피쿠로스학파는 인간은 누구나 즐거운 삶을 원하기 때문에 인간이 추구해야 할 최고 목표는 쾌락이라 생각하였다.

일반적으로 쾌락이란 인간의 욕구가 충족되는 상태를 말하는데, 모든 욕구를 완전히 충족시킨다는 것은 불가능하기 때문에, 인간들은 늘 고통 속에서 살아간다. 따라서 에피쿠로스학파에 있어서 참다운 쾌락이란 허황된 욕심을 갖지 않음으로써 마음에 불안이 없고 몸에 고통이 없는 평온한 상태를 의미한다.

이들은 지나친 감각적 쾌락이 오히려 고통을 초래할 수 있기 때문에 이성적인 삶이 더 바람직하다고 주장한다.

쾌락주의의 원조로 통하는 에피쿠로스는 일반적으로 알려진 것과는 다르게 매우 금욕적인 삶을 살았다. 친구들, 친구 같은 제자들 몇 명과 함께 '에피쿠로스의 정원' 으로 불린 조그만 정원에서 행복하게 지냈다. 마른 빵이 고작이었지만, 잔칫상처럼 즐겼다고 한다.

물질적 쾌락보다, 정신적 쾌락을 추구한 에피쿠로스는 단순하게 사는 것이 결국 행복의 비결임을 깨우쳐 주었다. "원하는 것을 소유할 수 있다면 그것은 커다란 행복이다. 하지만 더 큰 행복은 우리가 갖고 있지 않은 것을 원하지 않는 것이다" 란 유명한 말도 같은 맥락이다.

아타락시아

에피쿠로스가 언급한 '쾌락' 은 바로 정신적 쾌락을 의미한다. 그는 성적 쾌락, 사치스러운 쾌락이 아닌 평온한 정신상태, 즉 '아타락시아' 우리말로 '(정신의)평정' 을 추구했다.

아파테이아

스토아학파는 플라톤과 아리스토텔레스의 전통을 이어받아 "감각이나 욕망 대신 이성이 인간 정신을 지배해야 한다"고 한다. 감정은 옳고 그른 것에 대한 인간의 판단을 흐리게 함으로써 마음의 평정을 빼앗기 때문이다. 이성에 의해 욕망을 억제한 상태를 '아파테이아(apatheia)' 라고 부른다.

4. 기출 문제에서 만난 에피쿠로스학파

2000학년도 성균관대학교 논술 모의고사에서는 존 스튜어트 밀의 《공리주의》에서 발췌한 글이 제시문으로 출제되었다. 이 글에서 우선 밀은 공리주의를 비판하는 사람들이 공리주의자들을 에피쿠로스의 후계자로 칭한다고 지적한다. 공리주의자들은 삶의 진정한 목적을 알지 못하고 쾌락만을 추구해서 돼지에 비유되며 경멸되었다는 것이다.

"그들은 삶이 쾌락보다 높은 어떠한 목적도 가지지 않는다는 생각을 전적으로 천하고 야비하다고 보고, 돼지에게 어울리는 학설이라고 비판한다. 에피쿠로스의 후계자들은 처음부터 그러한 돼지에 비유되며 경멸되었다."

이러한 비난에 대해 밀은 인간의 쾌락이 동물의 그것과는 비교할 수 없다는 점을 강조한다. 즉, 인간은 단순한 육체적, 물리적 쾌락이 아닌, 훨씬 높은 차원의 정신적 쾌락을 추구한다는 것이다. 또, 어떤 사람이 두 가지 쾌락을 경험했다면 그는 그 중에서도 더 질 높은 쾌락을 선택한다고 했다.

"에피쿠로스적 삶을 동물의 삶과 동일시하며 비판하는 것이 그릇된 명확한 이유는 동물의 쾌락이 인간 존재의 행복 개념을 만족시키지 않는다는 사실에 있다. 인간 존재는 동물적 욕구보다 더 높은 여러 능력을 가지고 있으며, 그 능력을 만족시키지 않는 한, 어떠한 것도 행복으로 간주하지 않는다. 에피쿠로스적 삶의 이론으로 알려진 모든 이론은 지성의 쾌락, 상상력의 쾌락, 도덕적 감성의 쾌락을 단순한 감각의 쾌락보다 훨씬 더 높은 쾌락으로서 그 가치를 인정하고 있다."

쾌락을 누릴 수 있는 능력이 낮은 사람은 그 능력을 십분 만족시킬 수 있는 최대의 기회를 가지는 반면, 고도의 능력을 갖춘 사람은 기대할 수 있는 모든 행복을 언제나 불완전하게 느낄 것이다. 그러나 그는 이 행복의 불완전성을 극복하는 것을 배울 수 있다. 그리고 그는 이러한 행복의 불완전성 때문에 그것을 선이라고 인정할 줄 모르는 사람을 선망하지는 않을 것이다. 만족한 돼지보다는 불만 가지는 인간으로 있는 것이 낫다. 만족한 사람보다는 불만족스러운 소크라테스가 낫다.

공리주의

'공리'라는 말은 유용성, 효율성을 의미한다. 그런데 이렇게 말하면 어떤 목적에 그 행위가 유용한가라는 질문을 할 수 있다. 공리주의자들은 바람직하거나 좋은 목적을 달성하는 데 유용한 행위는 옳다고 말한다. 여기서 '좋은 목적'은 바로 '쾌락'이다. 따라서 공리주의는 "만약 한 행위가 쾌락을 낳는다면 그 행위는 옳고, 고통을 가져다준다면 그르다"라고 요약할 수 있다. 그렇다면 다시 여기서 말하는 '쾌락'은 누구를 위한 '쾌락'일까? 이에 대해 벤담은 공리주의가 '최대 다수'를 위한 '쾌락'을 추구한다고 주장한다.
☞ 아비투어 철학논술 ⑫권 《벤담이 들려주는 최대 다수의 최대 행복 이야기》 편 참조.

실전 논술

논술 문제

case 1 다음 제시문을 읽고 물음에 답하시오.

가 의사의 위로

순희 할머니는 순희 아버지의 진찰 결과를 애타게 기다리고 계십니다.

그런데 순희네 가족은 할머니께서 진찰 결과를 듣고 충격을 받으실까 봐 더욱 걱정입니다.

이러한 사정을 잘 알고 있는 담당 의사 선생님은 순희 할머니께 "아드님의 병은 치료받기가 좀 고통스러울 뿐입니다. 치료를 받으면 좋아질 테니 너무 염려하지 마십시오" 라고 말씀하셨습니다.

그러나 사실은, 순희 아버지의 병은 수술을 해도 완전히 낫기가 어려운 상태였습니다.

— 초등학교 5학년 《도덕》 중에서

나 "선생님! 에피쿠로스는 '우리는 태어남과 동시에 죽음의 약을 마시며 태어난다' 고 했는데 그것도 그런 말인가요?"

재석이가 선생님께 질문했습니다.

"맞아요. 잘 알고 있네요. 우린 어디서 오는지 알지 못한 채 태어나듯이 또한 어디로 가는지 모르는 상태에서 세상을 떠나는 것입니다. 태어나는 것이 자연스럽고 즐거웠던 것처럼 죽음도 그렇게 자연스럽게, 또 기쁜 마음으로 맞이해야 하는 것이지요. 죽음에 앞서 쓸데없이 삶에 집착하지 말고, 순순히 운명을 받아들이면서 이 세상을 떠나는 것이 행복한 삶을 마무리 하는 길이라고 말이죠."

선생님이 말씀하셨습니다.

"아, 죽음을 즐겁게 생각하는 건 정말 어려운 일 같아요."

자현이가 말했습니다. (……)

"죽음을 기쁘게 맞이하기 위해서는 평소에 '죽음은 우리에게 아무것도 아니다' 라는 믿음에 익숙해져야겠지요. 왜냐하면 우린 감각을 통해 모든 걸 판단하고 생각할 수 있는 건데, 죽고 나면 감각을 잃게 되어서 어떤 생각도, 판단도 할 수 없게 되기 때문이에요. 그건 아무것도 아닌 거나 마찬가지죠. 그렇게 생각하면 오히려 다양한 감각을 받아들이고 경험할 수 있는 현재의 삶에 더 집중하게 되지 않을까요? 살아있는 순간이 얼마나 소중한지 생각해 볼 수도 있고요. '죽음은 우리에게 아무것도 아니다' 라는 말의 의미를 진정으로 알게 된다면, 죽을 수밖에 없는 우리의 운명에 대해서도 기꺼이 받아들일 수 있게 되겠지요."

—《에피쿠로스가 들려주는 쾌락 이야기》 중에서

1. 제시문 (가)에서 순희네 가족과 의사 선생님은 왜 할머니에게 거짓말로 아버지의 상태를 전달했을까? '죽음' 이란 의미를 연결하여 말해 보시오.

2. 제시문 (나)를 읽고, 에피쿠로스가 제시문 (가)의 순희네 가족 곁에 있었다면 어떤 말을 해 주었을지 생각하고 적어 보시오.

생각 쓰기

생각 쓰기

case 2 제시문 (가)와 (나)를 읽고 베이컨이 에피쿠로스에게 어떤 영향을 받았는지, 그리고 밑줄 친 ㉠의 문제와 관련하여 베이컨이 제시하는 해답이 무엇인지 이야기해 보시오.

가 에피쿠로스는 우리가 무엇을 참된 것으로 이해하려면 그 기준이 있어야 한다고 생각했습니다. 그리고 여러 기준 중에서 지각을 중요한 앎의 기준으로 삼았습니다. 자를 가지고 있어야 길이를 잴 수 있듯이 지각이 있어야 무엇을 알 수 있다고 에피쿠로스는 생각하였던 것이죠.

그런데 기준을 사용하기 전에 먼저 그 기준이 참된 것인지 알아야 합니다. 에피쿠로스는 자신이 주장한 지각의 기준이 확실하다고 믿었습니다. 왜냐하면 지각 자체는 잘못이 없기 때문입니다. 사람들이 지각에 오류를 덧붙임으로써 지각내용을 변경하기 때문에 지각이 잘못된 것처럼 보일 뿐입니다. 예를 들자면, 우리는 모난 탑을 멀리서 보고 그 탑이 둥글다고 말할 수 있습니다. 이것은 우리의 지각이 잘못된 것이 아니라 지각을 통해서 얻은 지식이 불완전하다는 것을 주의하지 않았기 때문입니다. 그래서 이러한 상황을 정확히 설명하면, 둥근 탑을 본다고 말할 것이 아니라, 지각에 따라서 멀리서 보면 탑이 둥글게 보인다고 말해야 한다는 것입니다.

㉠ 이와 같이 지각 그 자체는 잘못이 없는데, 지각을 한 다음에 판단을 잘못한 것을 가지고 지각이 잘못된 것인 양 생각하게 한다는 것입니다. 에피쿠로스에 의하면 지각 자체는 잘못이 없기 때문에 지각은 진리인 것입니다.

—《에피쿠로스가 들려주는 쾌락 이야기》 중에서

(나) 경험론의 시조라 할 수 있는 영국의 철학자 베이컨(F. Bacon, 1561~1626)은 특히 자연 과학적 지식의 유용성을 강조하였다. 그는 인간이 자연에 대하여 알아낸 지식을 통해 자연을 지배하고 그 생활 방식도 개선할 수 있다고 믿었으며, 그러한 믿음을 "아는 것이 힘이다"라는 말로 표현하였다.

베이컨은 우리가 자연을 알기 위해서는 있는 그대로의 자연을 바라보아야 하며, 우선 우리가 가지고 있는 선입견과 편견부터 없앨 필요가 있다고 주장하였다. 왜냐하면 그것은 자연에 대한 우리의 참된 인식을 방해하기 때문이다. 그는 인간이 지니고 있는 전형적인 선입견과 편견을 '우상(偶像)'이라고 부르면서 이를 타파할 것을 역설하였다.

베이컨의 우상론은 사람들이 흔히 빠지는 편견을 네 가지 우상으로 설명하였다. 첫째는 종족의 우상이다. 이것은 세계의 모든 현상을 인간의 관점에서만 보려는 것을 말한다. "저 새는 나의 마음을 알기라도 하듯이 구슬프게 운다"와 같은 것이 그 예이다. 둘째는 동굴의 우상이다. 이것은 동굴에 갇혀 있는 사람처럼, 개인적 경험이나 성격적인 편견으로 인해 세상을 제대로 보지 못하는 것을 말한다. 우리가 흔히 사용하는 '우물 안 개구리'가 여기에 해당된다. 셋째는 시장의 우상이다. 이것은 말 때문에 생기는 편견을 말하는 것으로, 베이컨은 사람들이 많이 모이는 시장에서 잘못된 말과 소문이 많다고 생각하였다. '용', '봉황', '모순(矛盾)'과 같은 것들이 이런 예에 속한다. 마지막 넷째는 극장의 우상이다. 베이컨은 무대를 보고 환호하는 관객들처럼, 전통이나 권위에 의지하여 나타나는 지식이나 학문을 아무런 비판 없이 받아들이는 것을 가리켜 극장의 우상이라고 하였다. 따라서 그는 과거에 나온 이론들을 권위가 있다고 해서 무조건 추종해서는 안 된다고 하였다.

— 고등학교 《윤리와 사상》 중에서

생각 쓰기

생각 쓰기

case 3 다음 제시문을 읽고 물음에 답하시오.

가 선생님은 다시 수업을 시작하셨습니다.

"우리가 에피쿠로스를 자세히 알기 전에 먼저 그 시기에 어떤 철학 학파들이 있었는가를 알아봅시다. 에피쿠로스가 있었던 시기를 우리는 헬레니즘 시기라고 부릅니다. 바로 알렉산드로스 대왕이 이룩한 업적을 칭송하면서 부르는 말입니다. 이 시기에는 크게 세 가지 학파가 있었습니다. 스토아학파, 키레네학파 그리고 에피쿠로스학파이지요."

선생님은 참 모르는 게 없는 것 같았습니다. 입에서 술술 철학자의 이름과 학파의 이름이 나왔습니다.

"첫 번째로 스토아학파는 자연의 질서를 따르는 운명을 강조했어요. 그들은 무소유, 즉 아무것도 소유하지 않는 자유로움을 가장 높은 덕으로 생각했습니다. 스토아학파의 창시자는 제논(Zenon)이라는 사람인데, 그의 말에 의하면 이 세계는 정해진 질서에 따라 미리 예정되어 있는 거예요. 우리는 이를 피하거나 거부할 수 없죠. 그게 바로 운명입니다."

아이들은 흠칫 비장한 표정이 되었습니다.

"이 스토아학파 역시 마음의 평화를 최고로 생각합니다. 우리가 불행을 느끼고 마음이 평화를 잃는 것은, 이 세계가 불행과 슬픔으로 가득 차 있기 때문이 아니라, 우리의 지나친 욕심과 교만에서 온다는 것이지요. 자연의 질서를 거스르지 않고 받아들이면서 자신의 감정을 잘 다스릴 때, 즉 '마음을 비운' 상태에서만 비로소 행복해질 수 있다는 것입니다."

아이들은 모두 꿀 먹은 벙어리가 되어 있었습니다. 어리둥절해서가 아니라, 그 옛날 사람들이 요즘 사람들도 고민하는 똑같은 문제를 생각했다는 것이 신기해서였습니다.

"두 번째로 키레네학파는 아프리카의 키레네 사람인 아리스팁포스(Aristippos)가 만들었습니다. 아리스팁포스의 스승은 '너 자신을 알라' 로 유명한 소크라테스였죠. 그는 스승에게서 배운 행복에 대한 사상과, 감각이 최고라고 주장한 소피스트의 영향을 받아 쾌락설을 발전시켰습니다. 그에 따르면 우리들에게 확실한 것은 개인의 감각뿐이며, 감각은 모든 것의 기준이 된다고 말했어요. 사람들이 사는 이유도 감각의 쾌락을 얻기 위한 것이라고 했지요."

아이들은 그제서 선생님이 왜 철학 논술 시간에 줄곧 '몸에 의한 즐거움' 과 '정신에 의한 즐거움' 으로 쾌락을 나누었는지 알 것 같았습니다.

"그럼 이 두 학파를 에피쿠로스학파와 비교해 볼까요? 스토아학파는 자기 욕심을 이성으로 완전히 참고 이겨내야 행복할 수 있다고 주장했습니다. 그리고 키레네학파는 쾌락을 순간적인 것으로 보았어요. 따라서 인생의 목적은 즐거운 순간을 가능한 한 많이 만드는 것이고, 쾌락을 주는 것이라면 어떤 것이든 상관하지 않았지요. 하지만 에피쿠로스는 진정한 쾌락이란 몸과 마음의 고통이 완전히 없어진 고요한 상태가 계속되는 것이라고 했습니다. 또 그런 쾌락은 키레네학파처럼 어떻게든 좋기만 하면 된다가 아니라, 더 좋은 쾌락과 덜 좋은 쾌락, 즉 쾌락의 질적인 차이가 있는 거라고 주장하기도 했지요."

아이들은 마치 옛날이야기라도 듣는 것처럼 점점 선생님 이야기에 빠져들어 갔습니다.

—《에피쿠로스가 들려주는 쾌락 이야기》 중에서

나 "우리가 느끼는 고통이랑 곤충들이 느끼는 고통도 똑같겠죠?"

"모두 다 똑같다고 말할 순 없지만, 사람은 사람 나름대로의 동물은 동물 나름대로의 고통이 있겠지. 물론 그 고통의 세기나 크기도 모두 다 다르겠지? 그건 사람과 사람 사이에서도 각각 개인차가 있지만, 분명한 것은 고통이 존재하는 것이란다."

현호는 어제 외삼촌이 말씀해 주셨던 쇼펜하우어라는 철학자에 대해서 더 듣고 싶었습니다. 그 철학자도 고통에 대해서 말했을까? 하고요.

"외삼촌, 고통은 어떻게 생기는 거예요? 혹시 어제 삼촌이 말씀해 주신 철학자도 고통에 대해서 얘기한 적이 있나요?"

"그럼, 쇼펜하우어야 말로 인간의 고통에 대해서 깊이 생각한 철학자였어. 그는 세계가 고통과 고난으로 가득 차 있다고 생각했지. 왜냐하면 사람들은 쾌락을 더 원하고 고통을 피하려고 하지만 그 소망이 이루어지는 일이 드물기 때문이야."

"쾌락과 고통……. 쉬운 것 같으면서도 어려운 말 같아요." (……)

"그래, 게임을 계속 하는 쾌락을 원하고, 학원에 가야만 하는 고통을 피하고 싶지만 그 소망이 이루어지긴 쉽지 않지? 그렇게 고통은 지속되는 거란다. 너희들 일

뿐만이 아니라, 세상에는 그런 경우가 아주 흔하기 때문에 쇼펜하우어는 세상이 고통과 고난으로 가득 찼다고 이야기한 거야."

"쾌락이라는 건 끝이 없나 봐요."

동준이가 무언가 알겠다는 듯 똘망똘망한 눈으로 외삼촌을 쳐다봅니다.

"그래, 동준이 말이 맞아. 하나의 쾌락이 실현되면 더 새로운 쾌락을 맛보고 싶은 욕망이 생겨나기 때문이지. 그래서 사람의 욕심에는 한이 없다고 말하는 거야. 가끔 지나친 욕심 때문에 판단을 잘못하여 서로 싸움이 생기기도 하고."

"그렇다면 쾌락을 추구하는 건 안 좋은 거네요?"

"글쎄, 사람의 본성상 쾌락은 억제할 수는 있어도 아예 생각하지 않을 수는 없단다. 문제는 고통과 쾌락이 동시에 있으면 고통이 쾌락보다 더 강력해진다는 거야. 사람은 고통부터 먼저 느끼니까. 건강도 마찬가지지. 아파봐야 그 소중함을 알게 되잖니."

— 《쇼펜하우어가 들려주는 의지 이야기》 중에서

다 이 집에 온 지 일 년이 지났습니다. 한 사나이가 와서 일 년 동안 닳지도 터지지도 일그러지지도 않는 장화를 만들어 달라고 했습니다. 나는 그 사람 등 뒤에 내 친구인 죽음의 천사가 있는 것을 보았습니다. 나 외에는 아무도 그 천사를 보지 못했지만, 그 날이 저물기 전에 부자가 죽게 될 것을 알았습니다. 그래서 나는 생각했습니다.

'이 사람은 일 년 신어도 끄떡없을 장화를 주문하고 있지만 오늘 저녁 안으로 죽는다는 것을 모른다.' 그때 나는 '사람에게 주어지지 않은 것은 무엇인가' 라는 하나님의 두 번째 말씀을 생각했습니다.

사람의 마음속에 무엇이 있는가는 이미 알았지만 사람에게 주어지지 않은 것이 무엇인지 또 깨달은 것입니다. 사람은 자기에게 필요한 것이 무엇인지 알 수 없었습니다. 그래서 나는 두 번째로 웃었습니다. 친구 천사를 만난 것도 기뻤지만 하나님께서 두 번째 말씀을 깨우쳐 주신 것이 더 기뻤습니다.

그러나 나머지 한 말씀은 아직 깨닫지 못했습니다. 사람은 무엇으로 사는가, 이것을 깨닫지 못한 것입니다. 나는 여기서 살면서 하나님께서 마지막 말씀을 깨우쳐 주실 때를 기다렸습니다. 6년째가 되었습니다. 어느 여인이 쌍둥이 계집아이를 데리고 왔습니다. 나는 이 아이들이 죽지 않고 살아있는 것을 알았습니다. 그래서 속으로 생각했습니다.

'자식을 키우게 해 달라는 그 어머니의 말을 들었을 때 나는 부모 없이는 아이들이 자라지 못하는 걸로 생각했다. 그러나 이렇게 남이 키우지 않았는가.' 그리고 그 여자가 남의 자식을 가엾이 생각하고 눈물을 흘렸을 때 그 속에 살아계신 하나님의 모습을 발견하고, 사람은 무엇으로 사는가를 깨달았습니다. 하나님께서 제게 마지막 말씀을 깨우쳐 주시고 저를 용서해주신 것을 알고 나는 세 번째로 웃었던 것입니다.

— 톨스토이, 《사람은 무엇으로 사는가》 중에서

1. 제시문 (가)에서 에피쿠로스학파가 추구하는 쾌락은 어떤 것인지를 설명하시오.

2. 제시문(가)와 (나)를 참조하여 제시문(다)에서 말하는 올바른 삶에 대해 자신의 생각을 서술하시오.

생각 쓰기

생각 쓰기

실전 논술

예시 답안

case 1

1. 순희의 아버지는 수술해도 낫기 힘든 병을 가지고 있어 곧 죽을지도 모른다. 순희 아버지의 다가오는 죽음을 다른 가족들은 미리 알고 있지만, 노인이라 몸이 허약한 할머니가 들으면 그 충격은 몇 배로 크다. 순희네와 할머니 모두 '죽음'을 자신이 사랑하는 생명체의 생명이 다해 없어지는 고통스러운 경험으로 여기고 있다. 그래서 죽음을 슬퍼하고, 남의 죽음을 슬퍼하는 만큼 다가올 자신의 죽음을 무서워하거나 두려워하고 있다. 그렇기 때문에 종종 불치병에 걸린 환자에게 거짓말로 병 상태를 속이기도 한다. 이것처럼 할머니가 가지고 있는 죽음의 고통에서 벗어나게 하기 위하여 순희의 아버지 병 상태를 거짓말한 것이다. 즉 순희의 아버지와 죽음의 거리가 멀다는 사실을 할머니에게 정확하게 인식시켜 주었다.

2. 모든 생명체가 태어나면 언젠가는 죽게 되어 있다. 그래서 에피쿠로스는 사람이 태어나면서 죽음의 약도 마시며 태어났다는 말을 하였다. 죽음이 무섭고 고통스러워서 삶에 집착하게 되면 이는 더 큰 고통을 안겨 준다. 삶에 대한 집착이 크니 다가오는 죽음의 고통은 더욱 커지고, 죽음을 뿌리치려 하니 삶에 대한 욕망은 커지고, 그 욕망이 채워지지 않아 고통은 커져가는 악순환이 된다. 사람이 살아있는 동안 죽음은 없다. 그러나 인간은 죽음 자체가 아니라 죽을지도 모른다는 두려움 때문에 고통스러워한다. 하지만 인간이 죽음이 두렵다고 하여 죽지 않는 존재는 아니며, 죽은 뒤에는 감각이 없기 때문에 고통 또한 없다. 죽음을 두려워 할

것이 아니라 현재의 삶에 충실하게 살아야 하며, 오리혀 죽음이 있어서 삶에 최선을 다할 수 있다. 순희네 할머니도 순희의 아버지가 곧 죽을 것이라는 고통과 슬픔에 잠겨 있을 것이 아니다. 순희의 아버지가 남아 있는 삶에서 정신적인 쾌락과 풍요로움을 누리며 살아가도록 도와주어야 한다.

case 2 에피쿠로스는 지각, 즉 감각으로 우리에게 들어오는 것들을 진리의 기준으로 삼는다. 이는 근대에 이르러 경험론으로 발전한다. 경험론은 경험을 통해 얻은 앎을 중요시한다. 이때의 경험은 보고 들음으로써 얻을 수 있는 감각적인 경험이다. 이러한 인식의 대상은 바로 자연 세계인데, 베이컨은 감각적 앎이 진리라는 에피쿠로스의 사상에서 출발해, 자연을 파악하고 그것을 인간에게 이익이 될 수 있도록 이용하고 지배하는 자연 과학의 유용성을 주장하게 된다. 이러한 생각은 근대 과학 발전에 지대한 영향을 미쳤다.

에피쿠로스는 우리가 지각으로 들어오는 것이 진리임에도 불구하고 우리가 착각을 하는 이유는, 지각에 문제가 있어서가 아니라 지각된 것을 가지고 우리가 잘못 판단하여 잘못된 지식을 갖기 때문이라고 하였다. 베이컨은 그러한 잘못된 지식을 보다 구체적인 네 가지 우상에 비유하여 설명한다. 이들은 모두 선입견과 편견들이다. 에피쿠로스가 지적하는 잘못된 지식의 문제는 베이컨이 우상론에서 지적하는 것과 마찬가지로, 우리가 대상을 볼 때 선입견과 편견을 배제한 채 있는 그대로 받아들임으로써 해결할 수 있다.

case 3

1. 에피쿠로스학파는 인간은 누구나 즐거운 삶을 원하기 때문에 인간이 추구해야 할 최고 목표는 쾌락이라 생각하였다. 일반적으로 쾌락이란 인간의 욕구가 충족되는 상태를 말하는데, 모든 욕구를 완전히 충족시킨다는 것은 불가능하다. 따라서 인간은 늘 고통 속에서 살아간다. 에피쿠로스학파는 지나친 욕심과 교만을 버리고 자연의 질서를 따르면 고통을 피할 수 있다고 보았다. 또한 더 좋은 쾌락과 덜 좋은 쾌락을 구분해서 마음의 평화를 얻는 데 도움이 되는 쾌락을 추구하는 것이 바람직한 삶을 살 수 있는 방법으로 생각했다. 에피쿠로스학파는 지나친 감각적 쾌락이 오히려 고통을 초래할 수 있기 때문에 무분별한 쾌락 추구와는 거리를 유지했다.

2. 에피쿠로스학파는 감각적인 즐거움을 추구한다는 일반적인 평가와는 달리 사실상 마음의 평화를 우선시한다. 욕심과 교만을 멀리하고 고통을 피하는 삶의 방식이 이 학파의 기본자세이다. 제시문 (다)에서 한 사람은 자신이 얼마나 더 살지를 알지 못하면서 오래 신을 장화를 주문한다. 자기에게 진정으로 필요한 것이 무엇인지 알지 못하는 것이다. 에피쿠로스학파는 바로 자신에게 평화를 줄 수 있는 참된 쾌락을 추구하고자 하였다. 마음의 평화는 무분별하게 쾌락을 추구하거나

자신이 진정으로 원하는 것을 알지 못할 때는 주어지지 않는다. 제시문의 '나'는 남의 자식을 가엾이 생각하고 눈물을 흘리는 자세에서 하나님의 모습을 발견하고, 올바른 삶의 자세를 깨닫고 있다. 이러한 깨달음을 얻게 하는 것은 사랑의 마음이다. 남의 아픔과 슬픔을 나의 것으로 생각하고, 내가 쾌락을 느끼고자 하면 남도 쾌락을 느낄 수 있도록 배려하는 자세가 바로 사랑의 첫걸음일 것이다.

논술 답안 쓰기

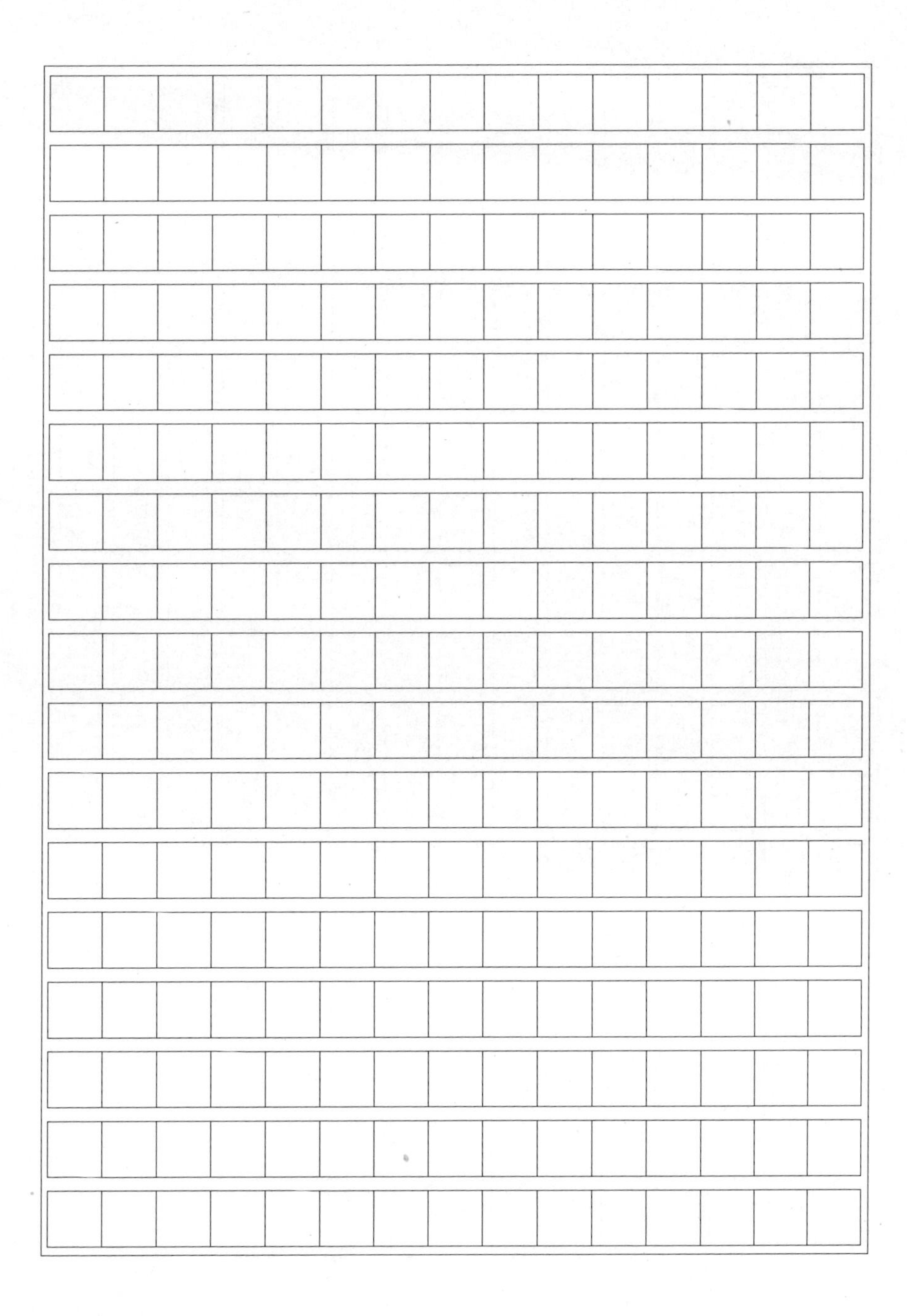

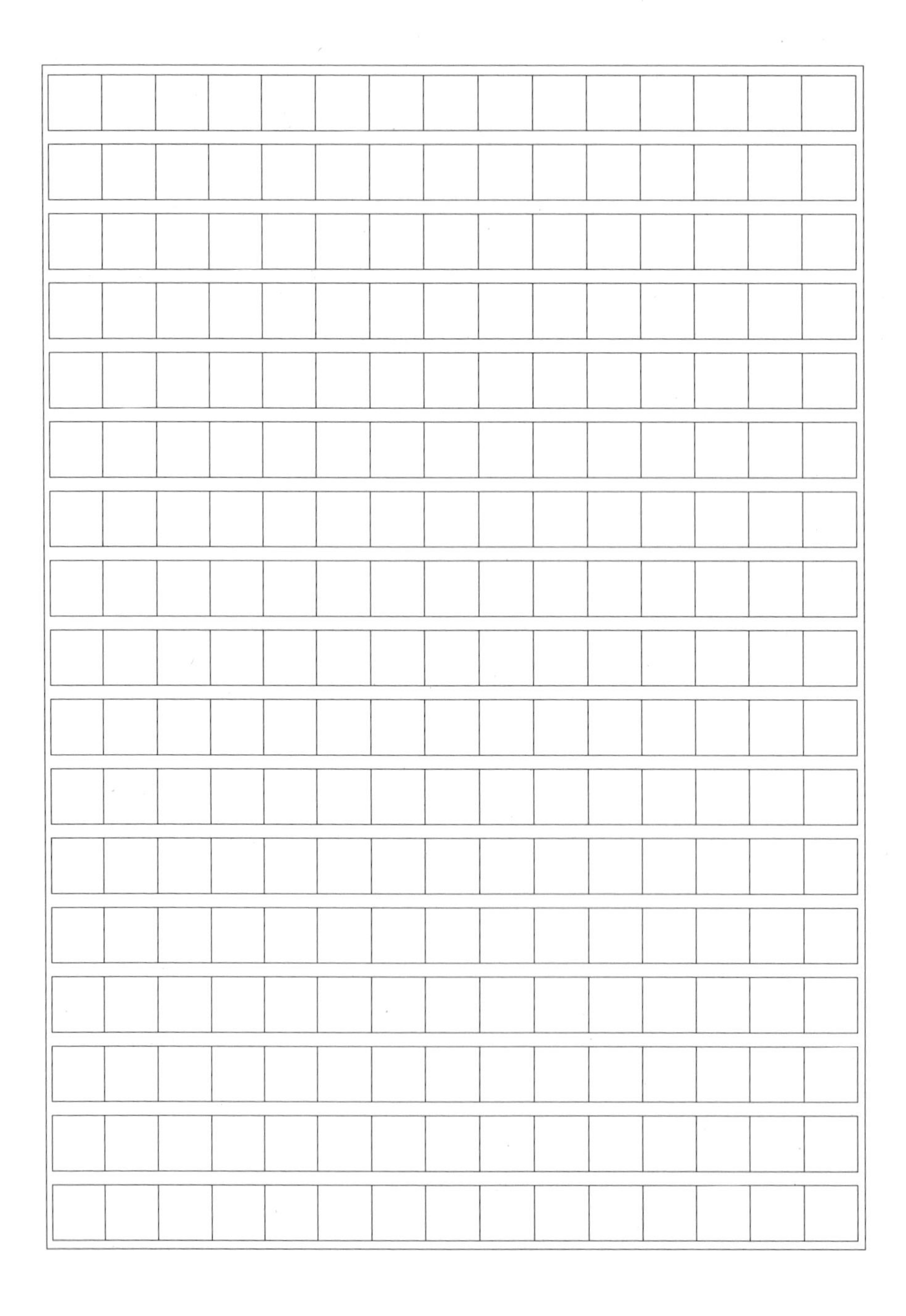